古物不只是本身的
歷史意義，還有身邊
人物所帶來的故事

陳郁如
2024

仙靈傳奇
之
古物奇探
祝由師
（上）
作者
陳郁如

作者序

【仙靈傳奇】冒險新篇章

兩年多前，有一天，我接到故宮研究人員舞雲的邀請，希望可以合作寫一本專門提到故宮文物的奇幻小說。當時我很好奇，他們是國家級博物館，怎麼會找到我這樣一個奇幻小說家呢？細問一下，才知道原來有位小讀者——紹節，跟著爸媽來到故宮參觀，他不僅對許多古物感興趣，還將它們的來歷娓娓道來，像是多寶格、玉蟬、唐三彩等，每一件都講得頭頭是道，精采萬分。舞雲覺得不可思議，問他怎麼這麼熟悉故宮的古物？他說因為他喜歡看我的奇幻小說，裡面很多內容都提到故宮的古物，讓他開始對古物感興趣。舞雲覺得挺神奇的，因此跟我聯繫，開始這一段特別的相識機緣。

這本《仙靈傳奇之古物奇探：祝由師》，延續之前【仙靈傳奇】五位主角們的冒險故事。闇石已經不在了，但是他們在進入故宮的〈清明上河圖〉之後，發現裡面有許多神祕的事情發生，他們必須同心齊力一起找到解決的方式。

這次，我花很多心力研究這些古物外，也在創作的方向上有新的嘗試，在新書中加入推理的元素，讓五位主角去找出失蹤的曾姬壺、花轎上消失的新娘、被抓走的疇廷，並且解開祝由師駝背的祕密。這幾個故事相互獨立，卻又有很大的連結，要看到最後才能知道整個架構。我自己寫完都很滿意，很有成就感。

除此之外，這次的故事中帶出很多的〈清明上河圖〉裡的角色，讓他們有血、有肉、有感情，描寫更多的內心情感，以及人與人間不同的互動，希望讀者們會喜歡。

謝謝小讀者紹節的推薦，也感謝故宮給我這次機會，讓我更加挑戰自己，完成更不一樣的創作內容，還有各位研究人員給我最高等級的專業知識，無私的以線上對談、書面請益、面對面訪談、撰寫文物知識附錄等方式分享研究精華，讓我學習很多，讓這本書的內容更加豐富，並且感受到故宮的親和友善，以及對於出版青少年讀物的企圖心。期待聽到讀者們閱讀後的心得分享。

推薦文

用文物解謎，以知識探險——讀《仙靈傳奇之古物神探：祝由師》

文／文字工作者　琹

《仙靈傳奇之古物神探：祝由師》是【仙靈傳奇】延伸出來的子系列，特別挑出了五樣收藏於故宮的文物，由五位【仙靈傳奇】的少男少女主角穿梭於〈清明上河圖〉中，去探索畫內發生的事件。雖然沒看過【仙靈傳奇】系列也可以享受故事的樂趣，但我讀到一半的時候，就忍不住覺得這群青少年的互動很可愛，先回頭找了幾本系列作閱讀了！

這系列有個很大的特色，就是會在故事中穿插文化，並透過這些事物去探索與解謎。不管是詩詞的意境、或是畫的內涵，都會讓人對這些東西產生極大的興趣，忍不住想多了解幾首詩詞，或是想看懂很多畫作，以便當成解謎的工具或線索。而子系列【仙靈傳奇之古物神探】更是將這些特點發揮到極致，透過描寫少見的古物，以及其中的歷史背景，讓人仔細深究這些物件與謎團的連結。

故事中更結合了青少年喜愛的仙法修煉、冒險犯難，以及非常重要的情感連結，並且將善惡正義的價值觀融合在這些事件裡，讓人邊閱讀邊思考這些文物存在的意義，以及去理解人心的正反面。並非所有的人一開始就是壞蛋，善良可能是選擇出來的價值觀，而熱烈的正面情感也可能一夕顛覆成為負面的憤怒與憎恨，透過這些描寫展現出各種人性的複雜與細膩。

特別值得一看的是現代與古代價值觀的衝擊，畫中人物的對話都顯現出當時的社會風氣，但來自現代的主角們，總是會忍不住吐槽那些已經過時或是不應該存留的古舊觀念。例如女性追求婚姻的自主，或是反派根本就像恐怖情人跟蹤狂，導致畫中世界幾乎要崩毀的行徑。雖然書中少年們都是輕鬆的吐槽或是想盡辦法要說服對方，那些場景乍看也許笑點滿滿，跟著思考卻會發現許多深意。

另外這些擁有法力的主角們，並不以有著獨特的能力而自視甚高，反而透過這些能力努力幫助他人，即使那些只不過是發生在畫中或是幻境裡的事件，卻仍舊保有相當強大的同理心，就算是大人或許都無法保有這麼成熟的心靈。

讀完這本《仙靈傳奇之古物神探：祝由師》最想做的事情，大概就是跑去故宮看一看那幅〈清明上河圖〉，故事中還相當認真分析各版本〈清明上河圖〉的不同，以及對於細節栩栩如生的描繪，讓人超級想擁有主角們的法力，可以進到畫裡去探險呢！

第一部　清院本・清明上河圖

第二部　曾姬壺

第三部　紫檀多寶格方匣

第四部　玉琮

第五部　定窯・白瓷嬰兒枕

角色簡介

顧曄廷（玄武）

唐朝畫家張萱後代，喜歡畫畫，是游泳校隊的成員，一次在書店翻閱畫冊時，穿越到〈搗練圖〉中，結識了藏身畫裡的畫仙（月升），傳承她的法力。在得到季札重信諾的寶劍後，從各幅古畫中摸索出一套劍法，做事之前習慣再三考慮，喜歡儀萱。

莊儀萱（黃龍）

學校內背誦詩詞比賽的常勝軍，在一次穿越到詞境後，發現身體裡藏著法力，後來才得知原來自己是陶妖（徐靜）的後代，力量來自五行中的「土」，施法便可掀起漫天沙塵，更曾因為被先人子滑附身，意外獲得神祕的巫術。

梁紫珊（朱雀）

家中從事玉器買賣，十五歲生日前夕，被告知家族身負守護玉冊的使命，代代傳人皆是「玉使」，後來也成為破解闇石位置的關鍵人物。法力與五行中的「火」相連，曾將祖傳的朱雀玉簪力量貫注到隨身佩戴的玉墜中，施法可召喚朱雀。

柳宗元（青龍）

和唐朝詩人柳宗元同名同姓，一開始卻不擅長背詩，直到意外穿越到〈江雪〉後，就此開啟與詩句的連結，是五名弟子中最早擁有法力的人。擁有唸出詩句後將詩境化為現實的能力，和儀萱是同班同學，兩人經常鬥嘴，誰也不讓誰。

林亞靖（白虎）

因為童年時一段奇特的經歷而患有「選擇性緘默症」，後來才知道〈七乳透光鏡〉裡顯現的影像是自己先人真實發生過的事情，也解開埋藏多年的心結。擅於金氣，在月升指引下，成功取用銅鏡的力量，練就手中鏡。

第一部 ◈ 清院本·清明上河圖

1

「原來這就是〈清明上河圖〉。好長的一幅畫啊！」宗元驚嘆的說。

宗元、紫珊、曄廷、儀萱、亞靖一起來到臺北故宮，他們之前看過唐玄宗的「禪地祇玉冊」、「七乳透光鏡」，這次再度來到故宮，特別進入書畫廳，來欣賞〈清明上河圖〉。

「我怎麼記得〈清明上河圖〉是張擇端畫的，而且在北京故宮？」紫珊看著亞靖。

「這張是清院本。」亞靖說，他指著解說牌。大家跟著湊上去看。

「原來這是後來才畫的。」紫珊點點頭說，「宋朝張擇端畫的那幅在北京的故宮，後來明朝、清朝有很多人喜歡這幅畫，不少畫家也跟著模仿，畫出很多版本。到了清朝時，雍正皇帝下令要陳枚、孫祜、金昆、戴洪、程志道五位宮廷畫家繪製〈清明上河圖〉，他們在乾隆元年合作畫成這幅畫。跟張擇端的版本相比，這幅長很多，而且增加很多明清的風俗活動，你們看，有人演戲，有迎親隊伍，還有洋樓呢！」

她指著畫面左邊的地方。

「你們看，這裡有澡堂。」儀萱說。

「這裡還有人打架，有小孩尿尿。太有趣了！」宗元哈哈笑著說。

「所以這張算是仿冒品嘍？」儀萱歪著頭看。

「清院本雖然不是原創，但是它的畫工精細，色彩亮麗，街道和建築以透視原理作畫。讓後人對明清時的城市生活，繁華的街頭景象有更多的認識，絕對稱得上是一幅有歷史意義的畫作。」曄廷解釋。

展間內一貫的昏暗，只有櫃子上方的燈柔和的打在畫作上，一片玻璃擋在遊客的面前，禁止人們跟古畫更近一步的接觸，也隔絕了畫作跟現實兩個世界。

「真想進去看看！能走上虹橋該多好。」紫珊著迷的看著畫。

「對啊，曄廷，難得來這裡，你帶我們進去好不好？」宗元說。

「現在？展間裡這麼多人，我們忽然不見會造成恐慌的。」曄廷白了宗元一眼。

「我可以幫忙。之前子淯在我身體裡面，讓我意外學會了一些巫術，我可以用巫術轉移其他人的目光，我們瞬間消失，沒有人會注意到的。」儀萱語帶興奮的說。

「子淯還在嗎？為什麼你還會巫術？」紫珊問。其他人也忍不住望向儀萱。

「子淯完全離開了，你們真的不用擔心。」儀萱語氣放緩，堅定的說，「不管是法力還是巫術，都是一種力量，或是一種工具，使用的人心懷不軌，這些力量就是惡的；但如果我們本心是善的，那就是幫助我們的力量。」

亞靖點點頭，給她一個微笑。

「說得好，我同意你的觀點。」紫珊對儀萱豎起大拇指。

「我也相信你！」宗元搥了一下儀萱的肩膀。

「怎樣？要我施巫術嗎？」儀萱看看大家。

其他人臉上也有著躍躍一試的期待。

「那……好吧！我們去畫裡走走，不要太久就好。」曄廷說。

「放心，我們只會消失五分鐘。」儀萱眨著大眼睛說。

「我們先去哪裡？」紫珊問，目光聚焦在畫中的虹橋。

曄廷想了想，「我們穿這樣在畫裡走動不方便，先去換衣服。」

其他人聽完他的話，都不免低頭瞄了一下自己的衣著，同意的點點頭。

儀萱有默契的看了曄廷一眼，右手一揮，大家感到一道很輕微的空氣流動，跟他們自身的法力不同，但是並不霸氣，只是溫和的留在身旁。

五個人手牽著手，其他四人都感受到曄廷傳來的法力，眼睛一閉一張，來到一條熱鬧的大街。

2

這裡人來人往，每個人的穿著打扮和街景，都跟畫裡看到的一樣。不一樣的是，古畫是靜止的二度空間，而現在是立體的，不只視覺上看到會動的三度空間，耳朵也聽到人聲、蹄聲、叫賣聲，同時鼻子也聞到食物的鮮味、食堂的柴火味、空氣的溼泥味。

「哇！這太酷了！」宗元嚷著。

「那間店，」曄廷指著街的對面，「上次我們來時畫仙帶我們去那換衣服。」

其他四人都看到對街一排房子，建造得整齊簡單，錯落有致。其中兩個店面相連，右邊比較大的那間門口有個直立招牌，上面寫著「油漆老店」；左邊那間店面則只有大約一半大小，上面小小的招牌寫著「成衣」兩個字。

「讓開，讓開。」一個粗魯的聲音喊著。正要過街的五個人馬上止步，一輛牛車從眼前踢踏經過。

車上有兩名男子，看起來像是旅客，身邊還堆了不少包袱和箱子。其中一個男子騎坐在一頭牛背上，甩著長鞭子，鞭打著前面並行的兩頭牛，催促牠們快走。

趕牛男子經過時，因為五人動作慢，稍微耽擱了一下，惡狠狠的瞪了他們一眼。不過五人並不介意，一切都太新鮮有趣了。

曄廷領著四人來到成衣店。店很小，門楣上垂著一條布簾，門旁邊的窗臺完全敞開，可以看到店內櫃檯後方有個短下巴的中年男子，看起來是成衣店的老闆。他拿著一件衣服，對著一個蓄著鬍子的男子說話。

「這裡我改緊點就好。」老闆比劃著說。他看到曄廷一行人靠近，便親切的揮揮手。

「林老闆，我們又來了。」儀萱對他笑笑的說。

「哎呀，歡迎歡迎，這次帶朋友來啊？」林老闆好奇的問。小鬍子男人也上上下下的看著他們。

「是啊，我想帶他們在附近走走，不過需要先換衣服，不知道……」曄廷說。

「沒問題！我現在在忙，我讓小依幫你們。」林老闆爽快回答，然後便轉頭對著裡面喊道：「小依，曄廷跟儀萱帶朋友來了，你出來幫幫他們！」

「欸，好。」一個清脆的應答聲從後面傳來，林老闆示意大家往裡走。

五人進了內屋，一個跟他們差不多年紀的女孩睜著一雙大眼睛看著來人。她穿著綠色的羅裙，頭頂綁兩個小髮髻，個子不高，豐腴圓潤的臉頰很可愛。

「這是紫珊、宗元，還有亞靖。」儀萱一一介紹，「她是林小依，成衣店老闆的女兒。」

「我想請你幫我們挑幾件合適的衣服。」曄廷說。

「你們喜歡什麼顏色？」小依打開櫃子，裡面衣服五顏六色，男女裝都有。

五人互看了彼此一眼，一股默契在心中生起。

「我想要黃色。」儀萱說。

「我想要黑色。」曄廷說。

「紅色。」紫珊說。

「青色。」宗元說。

「白色。」亞靖說。

小依上下打量每個人的身形，馬上就找出適合他們身材和顏色的衣服。五人輪流換上衣服，果然很合身！

小依看著他們，滿意的點頭，同時又低頭看了看，接著說：「走，我帶你們找李大叔。」

「誰是李大叔？」宗元問，他好像不太習慣身上的青布衣，一直這裡拉拉，那裡拍拍。

「你不要像隻猴子那樣東抓西抓的！小依好心借我們衣服穿，之後要還的。」

儀萱輕輕拍一下他的手，小聲的警告。黃色布衣在她身上顯得亮眼舒適，其他人的衣服也沒有問題。

小依領著五人往外走，「李大叔是我們這裡的鞋匠，他的手藝好，價錢又合理，鞋子裡都會多加幾層軟墊，走起路來特別舒服。」

六人走在路上東張西望，四周熱鬧喧譁，每樣事物都很新鮮。這時一股濃厚的味道飄來，眼前是一個香料店，招牌寫著「誠製沉速白檀　安息各色名香」。

「裡面有和尚買香耶。」曄廷說。大家也紛紛轉頭過去看，沒注意到眼前有人，差點撞上去。

「喂，看路！」四名男子扛著一個大床榻走在路中央，床榻上有四張凳子。負責在前面帶路的那名男子，對著小依一行人吼著。

「對不起，對不起。」他們連聲道歉，繼續往東走。一路上，看到有人在樹下說書，身邊圍了一群人；有人賣童玩，小孩子們興奮的大笑；有個招牌寫「羊湯」的店，店外圈著四隻羊兒，一旁的屠夫拿刀切下新鮮的羊肉給客人。

他們看到樹下有人在賭錢，一路上還有診所、雜貨店、瓷器店，儀萱對著那些陶瓷多看了兩眼。接著又是一陣吆喝聲，一大群馬匹赫然出現，聲勢浩蕩。

那群馬十匹成一列，前後兩列，後面拉著四輪板車，上面有一塊巨大灰石，看來非常沉重，必須二十匹馬才拉得動，前後還有十多個人吆喝，控制這輛巨大馬車行進。

他們等馬車隊伍經過，再往前走到街角，就看到李大叔的攤子。攤子上有片簡單的竹板遮陽，地上鋪了一片草蓆，上面排著好幾雙鞋子，有青布鞋、長布靴。一個高大男子抱著膝蓋坐在凳子上，看著一個客人在蓆子前試靴子。

「李大叔，我帶幾個朋友來跟你買鞋子。」小依輕快的說。她的話提醒了大家，他們都沒有古時候的銀兩，怎麼買東西？

「咳咳，來來來，咳，剛好我這幾天做了幾雙呢！」李大叔咳了幾聲，他面色臘黃，聲調虛弱，跟高大的身材成了對比。

他打開草蓆旁一個大木箱，裡面擺著幾雙青布鞋，還有兩雙繡花鞋。

「自己挑，穿穿看。咳……」

兩個女生各拿起一雙繡花鞋，儀萱先拿一雙繡小花的，紫珊對儀萱微笑點頭表示謝意，因為另外一雙繡花鞋的圖樣是一對紅鳥繡在青布上，雖然不是朱雀，但是儀萱知道紫珊會比較喜歡這雙。

三個男生也各自找到尺寸合適的鞋子，五個人看看彼此，換上衣服鞋子，就跟這幅畫裡的人們一樣裝扮，這下走在路上不會特別引起注意了。

「這些多少錢？」曄廷問。他心裡想，不知道能不能先欠著，或許他們之後可以做些雜工，等賺了錢後再還。

「你們在試鞋時，小依已經付了。」李大叔笑著說。

「小依！」五人驚訝的看著她。

「你怎麼幫我們付錢啦？」紫珊不好意思的說。

「沒事，這裡有一貫錢，你們也拿去用吧！」小依從懷裡掏出一大串銅錢，大家都看傻了。

「上次曄廷跟儀萱過來時，救了我跟爹爹，我們才平安無事。這點銀兩正好當成報答你們的謝禮。」小依甜甜的說，把一貫錢塞在曄廷手中，「喏，你們到處去走走，你們的鞋子我拿著，想換的時候再來找我。我先回家了。」

「謝謝！」曄廷對她說。

「我才要說謝謝。好啦，你們快去。」小依跟他們揮揮手，提著一包鞋子，向西走回去。

「小依真好。」儀萱說。

「是呀！」紫珊也說。

「你們上次來時，發生了什麼事？」亞靖問。

「在光天化日下，有個蒙面人闖進成衣店，把小依的媽媽跟弟弟殺了，他們還想對林老闆跟小依下手，剛好我們跟畫仙出現，救了他們，父女兩人非常感激，當場送了衣服給我跟儀萱，也答應我們日後有什麼需要都可以找他們。」曄廷一邊說，一邊帶著四人轉進旁邊的巷子，來到一株茂密的大樹下，然後示意大家坐下來。

「那個蒙面人是誰？為什麼要殺人？」宗元問。

「不知道，跑掉了。林老闆也不曉得為什麼有人要加害他們。」儀萱搖搖頭。

「這幅畫有畫出蒙面人前來暗殺的事情？」紫珊露出不敢相信的表情。

「沒有。」曄廷一邊說一邊數著銅錢，「原畫就是我們一進來看到的樣子。這就是整件事奇怪的地方，蒙面人是哪來的？沒人知道。」

「畫仙也不知道？」亞靖問。

「會不會是畫鬼？」宗元問。

「畫仙說不是。」曄廷語氣肯定，他把銅錢分成一堆一堆放在地上，「畫仙覺得這幅畫有些古怪，她後來怎麼找也找不到這個蒙面人。她說，這幅畫是五位畫家一起合畫的，可能其中一位畫家在畫時，把什麼特別的力量畫進去。」

「現在應該都沒事了吧？」紫珊看看四周，一行人就像在學校那樣圍在樹下，她施了一個法力，讓路過的人聽不到他們的對話。

「畫仙有施法保護他們，目前沒事了。」曄廷說。

「我們會在這裡遇到畫仙嗎？」亞靖問。

「應該不會，闇石的力量去除後，她說她需要閉關修習一陣子，重新調整體內的氣息。」曄廷回答。

「我們有法力，遇到事情可以自己解決，不用麻煩畫仙。」儀萱說。

「好了。」曄廷指著地上，「我把剛才那一貫錢分成五份，每個人兩百文錢。」

「耶，我剛才看到好多小吃攤，好像很好吃耶！」宗元興奮的說。然後每個人都拿起其中一堆錢幣。

「我想去看虹橋。」紫珊說。

「好啊，那就要往城外去。虹橋在城外，我們現在在城內。」曄廷說。

「這幅畫的每個地方你們都去過嗎？」紫珊問。

「當然沒有。上次我們來，只有在城裡走走，這幅畫太大了。」儀萱回答。

「那我們一起去看看虹橋。」紫珊說，臉上帶著期待的光芒。

五人回到大道朝東走去，這裡的路更加寬廣，人也更多了。有人抬轎，有人騎馬，有人挑著擔子，人來人往的，旁邊有許多店家，銀局、飯鋪、染坊、肉店，吃的喝的用的，應有盡有。

五人來到城門前，石造的城牆矗立眼前，分開城內城外的生活。挑高的城門呈圓拱形，城牆上部分建造了精緻的飛簷樓閣，展現富麗壯觀又堅不可破的城市威嚴。

出了城門，他們沿著河岸往東走，本以為來到城外，會是人煙稀少的郊外，可是這裡還是到處都有人走動。

「那邊有人在打鐵耶。」「居然在路上就光著上半身。」「你們看，河在那邊。」「我看到船了！」「羊滿街走，哈哈，好可愛喔！」「『金蘭居　包辦南北酒席』，感覺這間好吃。」「對啊，好香喔。」

宗元、儀萱、紫珊、曄廷一邊走一邊七嘴八舌的發出讚嘆，給出評語。亞靖一貫的少作聲，但也是好奇的四周看看，微笑的跟著大家。

「你們看，那有人在走繩索。」儀萱嚷著。

路邊一塊空地上，有人立起兩個木架，一條粗繩綁在木架兩端，像晾衣繩那樣橫跨空中。一名清瘦的藍衣少女，手拿著平衡用的木桿，小心翼翼的一步步在粗繩上行走。

旁邊許多人圍觀，他們也上前觀看。

3

少女在繩上走著，秀麗的臉龐神情專注，這時她的身形晃了一下，差點跌下去，圍觀的人們忍不住驚呼。然後少女腰一扭，又恢復重心，臉上帶著得意的笑容，贏得滿堂喝采。原來是她吸引目光的手法之一。

她走到繩子的另一頭，身子一拔，輕巧落地，看來她功夫不弱，群眾大力拍手。

「凌兒獻醜了，謝謝各位大爺姑娘。」少女口音清脆響亮，頷首致謝。她拿出一個碗，在眾人前走一圈，有人揮揮手離開，只有少數人丟了一些銅錢入碗。

宗元有樣學樣，也掏出十個銅錢放入碗裡。

「謝謝公子賞賜。」凌兒清澈的眼睛看著宗元說。宗元抓抓頭，覺得臉頰燙燙的。

「欸，她叫你公子耶！」儀萱在凌兒走開後，推推宗元，對他眨眼調侃。

「當然嘍，不然叫我皇上嗎？」宗元白她一眼。

「最好皇上長這樣。」儀萱也斜睨他一眼。

「我長怎樣？人帥出手又大方，所以才被叫公子啦！」宗元臉上帶著得意的笑容。

「我看是浪費錢的紈褲子弟！」儀萱撇撇嘴。

「對啊，」曄廷附和儀萱，「我們雖然不是在現實世界，但是我也覺得錢要省著點花。」

「嘿嘿，我才不怕咧，我只要唸『千金散盡還復來』，錢財就會滾滾而來了。」宗元說。

「『千金散盡還復來』，如果你只花完兩百文錢，也會『百文散盡還復來』

嗎？」很少說話的亞靖就事論事的問。

「哈哈，有道理耶！」紫珊拍手大笑。

宗元瞪了亞靖一眼，「你什麼時候也變得伶牙俐齒啊？我法力高超，數字打折也是可以實現的啦，你們到時候不要太羨慕。哼！」

五個人一路說說笑笑，沿著河岸走，來到虹橋。

「這裡人好多啊。」紫珊說。

「好像夜市喔。」儀萱說。

四周人來人往，左邊設置了一些桌椅，一個小哥在賣茶水，遊人閒坐著看向河面喝茶。一頂轎子迎面而來，轎簾掀開，裡面一個穿著嫩綠色衣裙的少婦，起身扶著前面一個粉色上衣，七、八歲左右的小女孩。女孩興奮的看著街景，聲音高亢的一直嚷嚷。

他們走上虹橋，心情興奮，橋上兩旁都是攤子，一個連著一個，從橋這頭到那頭，寬廣的橋面是由石頭砌成。有一行人挑著沉重的箱子，有人扛著米袋，有人叫賣玩具，還有四個高僧排成一列走過，前面兩個小和尚在化緣。

兩旁的攤子賣著形形色色的物品，筆墨、人參、絲綢……叫賣聲不斷，五人東張西望，覺得有趣極了。

「你進去過張擇端的〈清明上河圖〉，你覺得跟這幅比如何？」紫珊轉頭問亞靖。

亞靖歪頭想了想，「之前我也不算進去過，比較像是有人把當時發生的事情，用VR影片在我面前播放，我可以看到當時發生的事，但是不能像現在這樣，跟畫裡的人物互動。」

紫珊點點頭，當時她的先人鄭涵讓她看到唐朝發生的事情也是一樣的狀況。

「那你覺得哪幅畫好看？」儀萱也問他。

五個人走過虹橋，來到河岸的另一邊，從這裡可以看到好多船隻。

亞靖又想了想，「嗯……我覺得兩幅畫各有特色。像這幅畫裡的虹橋是石頭做的，宋朝的是木頭搭的。『清院本』感覺新穎，人物多，商店也多，比較熱鬧。我覺得我比較喜歡這幅。」

其實他沒說的是，張擇端的畫連結他小時候的恐懼，雖然後來他嘗試面對，但是潛意識裡，那幅畫無法讓他感到安定。這幅清院本〈清明上河圖〉格局開朗，風格明快，讓他覺得心情輕快許多。

「那你呢？」儀萱問曄廷。

「我也看過張擇端的版本，」曄廷說，「張擇端是我的祖先，所以我投他一票。」

「我喜歡這幅！」宗元抓抓脖子說。

「你又沒看過另一幅。」儀萱瞪他一眼。

「誰說我要看過另外一幅才能喜歡這幅。」宗元應了回去。

「那邊圍了一圈人，我們過去看看。」紫珊說。

他們擠進人群，看到中間是一個中年漢子，他手中拿著一個銅鑼，還扯著一條線，線的另一頭綁在一隻穿著紅色上衣的猴子身上。中年漢子敲鑼，猴子就跟著跳躍翻筋斗，有時候還會忽然去扯一旁觀眾的衣服，摘人家的帽子，逗得大家笑呵呵。

忽然，猴子跑來宗元的面前，一雙眼睛骨溜溜的看著他，然後做出全身抓癢的動作。眾人的眼光看著猴子，又看看宗元，原來宗元抓臉抓背抓脖子，猴子在學他做動作，圍觀人群更是哄然大笑。

曄廷、儀萱、紫珊、亞靖都轉頭看宗元，這才發現，他整張臉、手、脖子紅通通的，布滿疹子。

「宗元！你長疹子了。」儀萱一聲驚呼。

「看來是過敏了。」紫珊皺起眉頭。

「哎呀，你不要再抓了，會破皮的。」曄廷試圖拍掉他的手。

「我在〈尋張逸人山居〉這首詩裡被法力灼傷後，雖然用了張逸人的藥膏，但是皮膚就變得比較敏感。」宗元一臉無奈的看向自己的手臂，又抓抓胸口和肚子。

「剛才來的路上我有看到小兒科。」亞靖說。

「我也有看到。我們一起去，問問有沒有什麼皮膚藥膏。」曄廷說。

五個人不想打擾猴子表演，默默從人群中退開。

「不用啦，我忍耐一下就好。」宗元嘴硬的說。

「你都抓破皮了！到時候發炎很麻煩的。」紫珊說。

「走，我們一起去。」曄廷往虹橋方向走去。

「不用這麼小題大作啦！好不容易來到畫境，去看醫生多掃興啊，我們繼續逛街。」宗元說。他對於朋友們的熱心既感動又不好意思。

「我陪你去，其他人繼續逛。」亞靖簡短的說。

「要不要我跟你們一起去？」紫珊問。

「不用不用。你們兩個女生一起逛比較好玩。」宗元連忙搖手。醫生看診時可能會要求他脫下衣服，女生在多尷尬啊！

儀萱看看曄廷，曄廷表情似乎不太贊成。

「我帶你們來，有保護你們的責任，分開行動要是出事了怎麼辦？而且這裡又不像原本的世界，可以用手機聯絡。」曄廷說。

「曄廷每次都顧慮超多的，」宗元翻個白眼，「我能有什麼事？我也有法力耶！」

「曄廷的擔心不無道理，不過這麼多人去看皮膚好像也有點誇張。不然這樣，麻煩亞靖先陪宗元過去，看病也是需要一段時間，我們三個往下多逛一會，就過去跟你們會合，我們就約在那個診所，我們五人中有兩個人知道診所在哪，分兩邊行動，不會走丟的。」紫珊說。

「好吧，那就這樣，這癢得真難受。」宗元嘆口氣。

「我看到什麼好吃的，幫你們兩個帶上一份。」儀萱安慰的說。

「亞靖，你要負責壓著宗元看醫生喔。」曄廷叮嚀他。亞靖點點頭。

「怎麼聽起來好像我媽？」宗元小聲嘀咕，假裝沒看到儀萱瞪他一眼。

「我們應該不要理你，讓你全身跟猴子屁股一樣紅，公子變猴子。」儀萱撇撇嘴。

宗元對她扮個鬼臉。

「不知道看病要多少錢，我的銅錢先給你。」紫珊拿出她的兩百文。

「不用，招牌上有寫，貧不計利。」亞靖說。

「聽起來就是有善心的好醫師，那我的錢就省下來買點心吃。」儀萱說。

「愛吃鬼。」宗元對儀萱吐吐舌頭。

「我是要買給大家吃的，既然你不愛吃，你那份我到時候分給乞丐吃。」儀萱哼了一聲。

「路上小心，我們先走嘍。」紫珊拉著儀萱往另一個方向走去。她大概也聽夠了兩人的鬥嘴。

4

宗元和亞靖走在前往診所的路上。

「謝謝你陪我來。」宗元說。

亞靖微微一笑，沒說什麼。

「你怎麼會注意到這裡有小兒科啊？」宗元好奇的問。他就比較注意看著街上賣的小吃。

「我看過另外一幅畫的場景，所以對這兩幅畫不一樣的地方感興趣，就多留意了幾分。」亞靖說。

亞靖跟宗元經過虹橋走回城裡，沒多久就看到一個宅院，門前停了兩頂轎子，轎夫們在一旁等待。門口有個大招牌，上半段被樹枝擋住，只看到「理小兒科」，下面用比較小的字寫著「貧不計利」。

他們走進大門，櫃檯後面一個瘦高的長臉青年問：「兩位要看病嗎？」

「是我。我叫柳宗元。」宗元說。

青年拿起毛筆，在紙上寫下他的名字。

「張大夫現在還有病人，先到裡面稍坐一下。」長臉青年親切的說。

亞靖跟宗元走進另一個房間，裡面一個婦人懷裡擁著一名六、七歲的孩子，孩子似乎在發燒，臉頰紅紅的，全身無力的倚在婦人身上。屋內有一道簾子，簾子後面張大夫正在看診。

好一會，他終於叫到柳宗元，亞靖陪他進去。

簾子後面的空間很大，有一張大桌子，桌子後面一排櫃子，裡面應該都擺著不同的藥物。

張大夫對他們招招手，他年紀大約五十多歲，面目清瘦，兩眼有神，蓄著小鬍子，頭上已經有灰白髮絲。

宗元在桌前的木凳上坐下，心裡有點緊張，不知道畫裡的大夫會怎麼看病。

「你跟唐朝大詩人同名啊！呵呵，你知道我叫什麼名字嗎？我姓張，名繼，也是個詩人喔。」張大夫聲音慢條斯理，面帶笑容。

宗元忍不住笑出來，兩個與唐朝詩人同名的人在畫裡相遇，這也太有趣了，緊張的情緒也緩和不少。

「來，我給你把脈，你說說哪裡不舒服？」張大夫按著宗元的脈搏問。

「我全身發癢發紅。」宗元說。

「我看看。」張大夫掀起衣服，「多久了。」

「今天開始。」宗元低聲的說。

「你脈象穩定，不過體內熱毒氣躁，血虛瀅悶……」張大夫沉思一會，起身從櫃子裡打開一個抽屜，拿出一個小瓶子，挖出一點裡面的膏狀物，直接擦在宗元的右手背上。

宗元嚇了一跳，看到膏狀物黑黑的，還有個怪味，心裡有些害怕，不過說也奇怪，他手背上的紅疹馬上消了一大半，不適也緩和許多。宗元覺得太神奇了。

「這瓶藥膏你每天擦個三次，然後我給你開兩帖草藥，內服外用，只消幾天……」張大夫的話還沒說完，就被外面一陣爭執的吵雜聲打斷。

「喂，你不能進去。」長臉青年氣急敗壞的聲音傳來，但是一名年輕婦人已經掀起簾子，闖了進來。

少婦清麗的臉上滿是焦慮，她手裡抱著一個嬰孩，嬰兒臉色慘白，眼睛緊閉。

長臉青年也跟著進來，「張大夫，我攔不住她……」

「長昇，怎麼回事？」張大夫瞪了青年一眼，轉頭看著少婦。

「張大夫，你快救救我兒啊！」少婦擠到醫生的面前，宗元趕快起身讓開。

「他剛剛還好好的，忽然就全身不動，越來越僵硬……」她話還沒說完，懷中的嬰兒發出奇怪的聲音。

只見那嬰孩的眼睛忽然睜大，眼珠突出，樣貌嚇人。

「古以，啊卜，古寡乙，噫噫啊喇，護護護，伊立伍以尬……」

「這、這……是怎麼回事？他到底怎麼了？」少婦滿臉驚恐，都快哭出來了。

張大夫眉頭緊蹙，伸手去按嬰孩的脈象，嘆一口氣，「你家孩兒脈象混亂，命在旦夕，我無能為力，你走吧！」

「不不不，大夫你一定要救他啊！」少婦抱著孩子猛磕頭。

「我只是大夫，不是神仙，你快帶孩子回家，準備後事吧。」張大夫無奈的搖搖頭。

「不！」少婦禁不起打擊，眼前一黑，手一鬆便暈了過去。宗元在一旁，趕快抱起差點落地的孩子，也感覺到這嬰孩的身體冰冷。

張大夫在少婦的人中穴、勞宮穴、合古穴按壓，一會後少婦悠悠轉醒，仍然非常虛弱。

「走吧！你快回家吧！」長昇跟亞靖過來扶起少婦，帶她回到前廳。宗元抱著孩子，跟在後面一起出來。

少婦臉上都是淚水，身子虛弱的拖著腳步，宗元看她站不穩的樣子，不敢把孩子交給她，而是偷偷運氣傳給手中的孩子，想試試看保住他一點元氣，但卻發現這孩子體內有股陰冷之氣傳來，非常詭異。

他們來到大門外，長昇回頭張望一下，好像要確定屋裡的人沒有聽到後小聲的說：「我看這孩子好像中了什麼邪氣，娘子要不要去找祝由師試試看？」

「祝由師？那是什麼？」少婦一臉茫然的問。

「祝由科是一種特別的醫術，聽說可以驅除邪魅，解邪魔歪道。祝由師還會唸咒語，下符咒讓你……」長昇話沒說完，宗元就忍不住打斷他。

「什麼豬油師雞油師？這聽起來就是密醫、庸醫！這是迷信，不要相信他。」宗元大聲的說。

「小兄弟不要亂說話，是祝融的祝，由不得你的由，祝由師可是法力高強的法師！」長昇解釋著。

「我信我信，能救我的孩子，我什麼都信。這個祝由師在哪？」剛剛奄奄一息的少婦，馬上打起精神，拉著長昇的手焦急的問。

「就往西走。吳家古董店，你知道吧？」

「我知道，我家相公最近才從那裡買了古董回家。」少婦說。

「那好，從那右拐彎往前走就可以看到，門旁掛個招牌，寫著『祝由科』。」長昇說。

「好，我去我去。」少婦轉身從宗元的手中接過孩子。

「可是張大夫說你的孩子……」宗元還想阻止，亞靖搶先一步。

「我們跟你去。」亞靖說，「你身體太虛弱了，自己去不安全。」

「兩位小哥願意陪這位娘子去一趟，那太好了。」長昇說。

「可是……」宗元遲疑的看著亞靖，他也很想去看看那個祝由科到底是什麼東西，但是他們已經跟紫珊三人約好在小兒科這裡碰頭。

「你寫一張紙條，請長昇轉交，讓他們知道該去哪找我們。」亞靖說。

宗元懂他的意思，他可以用法力寫字，其他人也可以用法力找到他。

宗元跟長昇解釋有三位朋友會來這找他們，長昇拿出紙筆讓宗元留話，但他不太會用毛筆，在紙上寫得歪歪扭扭的，連自己看都不好意思。他把紙條給長昇，託付他轉交後，和亞靖陪著少婦往前走。

少婦急著趕路，可是力不從心，每走幾步就停下來。亞靖跟宗元很怕她又暈過去，兩人一左一右架著她，同時暗中施法，給她一些能量。

「謝謝……兩位小哥，小哥如何稱呼？」少婦問，臉色紅潤了一些。

「我叫宗元，他是我同……窗，亞靖。」宗元說。

「我叫翠娥，謝謝你們陪我走一趟，我的兒子好端端的，為什麼會中邪呢？」翠娥看著懷裡的孩子，又開始掉眼淚。

「我是覺得那個祝由科聽起來怪怪的，你不要去比較好。而且張大夫說……」宗元說。

「不，我一定要試試！」翠娥挺起腰桿說。

宗元和亞靖對看一眼，心裡有了默契，如果等下有什麼騙人或欺負人的勾當，一定要幫忙翠娥。

他們先經過剛才的成衣店，然後看到一間店外掛滿字畫。「啊，這就是吳家古董，這裡要右轉。」翠娥說著，照著長昇的指示走。

終於他們來到一座宅子前，外頭高牆聳立，一個招牌上寫著「祝由科」，入口處像是牆上挖了一個長方形的洞，並沒有門板門檻，顯得神祕詭異。

翠娥毫不猶豫的走了進去，宗元和亞靖緊跟在後。

一進去是個小院子，兩旁種了些不知名的花草，往前走，只見通往前廳的大門緊閉。

「看來沒有營業。」宗元說，企圖要翠娥放棄。

翠娥直接走上前，用力敲門，「請救救我孩子吧，救救我孩子吧，求求你……」

大門突然打開，一個駝背女子面無表情的出現在他們的面前，她看了看三人，再看看翠娥手上的嬰孩，此時嬰孩雙眼緊閉，整張臉皺起來。女子口氣平平的說：「進來吧。」

女子往內走去，她上半身嚴重彎曲，背上有一大塊凸起。宗元對著亞靖使個眼色，亞靖知道他的意思，他也覺得這裡的祝由師這麼厲害的話，幹麼不先把這駝背女子給治好？分明就是有鬼，招搖撞騙的江湖術士。

他們來到一個類似前廳的房間，這裡沒有擺設，空蕩蕩的房間只在中間擺了五張椅子，向內圍成一圈。

「坐下吧。」駝背女子手指著椅子。

宗元和亞靖還在猶豫，翠娥已經找了張椅子坐下，兩人只好一人一邊，挨著她就座，頗有保護她的意味。

女子走向面對翠娥的椅子，也坐了下來，然後她閉上眼睛，看起來像是恭候祝由師的儀式。

只是三個人等了好一會，卻沒人來坐那張空的椅子。

「我們走啦。」宗元站起來，忍不住說。

「不，」翠娥甩開宗元的手，「大娘，麻煩你請祝由師出來，救救我的孩兒啊！」

女子忽然睜開右眼，睜著一隻眼睛直直看著翠娥說：「我就是祝由師，我在看你的孩子，不要出聲。」

說完，又將右眼閉了起來。

三人都一驚，原來這個不起眼的駝背女子就是祝由師！

翠娥急切的說：「救救我的孩兒，你要多少銀兩我都給你！」

「他的氣被邪魔縛綁住了。」祝由師語氣陰森的說。

正當三人還在想著，這祝由師眼睛緊閉，怎麼「看」小孩時，駝背女子從懷裡摸出一張大約十公分見方的黃紙，伸出手指在紙上快速比劃，好像在畫符一樣，之後她對著黃紙中心吐一口口水，把紙貼在額頭上。

黃紙的中心很快的出現一個個黑點，黑點向外擴張，變成一個黑圓圈，然後圓圈上下各延伸出兩條黑弧線，兩條黑弧線在黑圓圈兩端相遇，這時三人都看見了，那是一隻眼睛。

不僅如此，黃紙上出現的眼睛還會眨動。

黑色的眼珠轉啊轉，掃過三人，他們對上那隻眼睛時，都忍不住心裡一震，全身一抖。

亞靖跟宗元有法力，知道這隻眼睛帶著特殊的力量，開始相信這祝由師有點能耐。

眼睛繼續轉向，將目光定定落在嬰孩身上，這時原本眼睛緊閉的嬰孩，忽然睜大眼睛，然後像在小兒科那樣，再度發出奇怪的語句。

「古尬，以啊，噫噫啊喇，古烏罵，伊立瓦……」

祝由師也發出奇怪的聲音，很像大石落水的水花聲混合著金屬刮擦著鐵鍋的聲音，亞靖跟宗元驚訝的互望一眼，很難相信這是從人類身上發出來的聲音。

祝由師額頭上的眼睛越瞪越大，嬰孩講話的聲音越來越急促，聽起來像是在罵人。

忽然，那隻眼睛閃出一道光，直射向嬰孩。亞靖跟宗元大驚，怕祝由師傷害嬰孩，連忙起身送出法力，只是嬰孩動作更快，一股強大的力量從他身上激射而出，向四面八方攻去。

亞靖跟宗元有法力護身，但也被震得向後退了好幾步。他們萬萬沒想到這嬰孩身上帶有這麼大的邪氣，而且源源不斷。

他們各自運氣抵抗，轉頭看祝由師，她也是滿身大汗，一手成鷹爪狀，一手食指在空中比劃著他們看不懂的符咒。此時她睜開左眼，加上額頭上的眼睛，三隻眼睛同時轉動，看起來非常詭異。

本來坐在椅子上的翠娥，則是全身癱軟，像是昏了過去。

亞靖跟宗元想去探看她的狀況，卻被這股詭異力量逼得無法靠近。

5

祝由師的正常眼睛看著兩人，眼神有些訝異，似乎沒料到這兩個年輕人可以抵擋嬰孩身上的邪氣。

過了好一會，亞靖跟宗元才感到那股從嬰孩身上發出的力量慢慢減弱，兩人齊心對抗，同時聽到祝由師大吼一聲，額頭上的眼睛放出火焰般的光芒，那張黃紙燒了起來，火焰射向嬰孩，四處亂竄的攻擊力道終於消失了。

「翠娥！」兩人奔上前去查看。

翠娥呼吸微弱，神情委頓，不過還是緊緊的抱著孩子。孩子此時臉色正常，雙眼骨溜溜的轉著，嘴巴發出咿咿呀呀的聲音，就是一般健康嬰孩的樣子。亞靖跟宗元分別握著翠娥的肩膀，運氣到她體內，過了一會終於慢慢醒轉過來。

翠娥看著手中的孩子，欣慰的流下眼淚，「小彥沒事了，太好了、太好了……」她抬起頭看著三人，然後猛然跪下來磕頭，「謝謝祝由師，謝謝兩位小哥，謝謝你們救了小彥，這裡有些銀子，請你們收下……」

祝由師收下銀子，但是她眼睛來回看著亞靖跟宗元，「你們是誰？為什麼可以抵抗這等邪氣？」

「我們是……」亞靖不曉得怎麼解釋他們來自不同的世界，宗元搶著說道：「他叫亞靖，我叫宗元，我們跟師父學了一些功夫，內力深厚，所以沒事。這孩子為什麼中邪？」

「這事說來話長，我現在沒有力氣解釋，這孩子……」經過剛才的施法，祝由師顯得非常疲倦，她深呼吸好幾次才又開口：「你們兩個的內力加上我的符咒，總算把這邪魔之氣趕走。」

接著，祝由師好像已經用盡全部力氣一般，再也說不出話來，她的手一揚，一張長型符紙飛出，在空中一爆，散出細細黃塵，瀰漫整個房間，擋住視線，不過一剎那的時間，黃塵散去，祝由師也消失了。

「祝……她、她去哪了？」翠娥看得目瞪口呆。

「我們走吧。」宗元說。

翠娥點點頭，抱著孩子起身，跟在兩人後面走出屋子。

「兩位小哥若是方便，可以到府上讓我家相公好好款待你們，表達謝意。」翠娥眼神熱切的看著他們。

「不了，我們跟朋友約好了，下次再去叨擾。你快帶孩子回去休息。」宗元說。亞靖也點點頭表示同意。

「那你們有空一定要來啊，我是城北雷家的媳婦，隨便問個路人就知道怎麼走。」翠娥說，「那我先帶孩子回去了，謝謝兩位小哥。」

翠娥哄著孩子，滿臉笑容往城裡走去。

「這個祝由師好詭異啊！尤其是那個眼睛！」宗元小聲的說。

「是啊。」亞靖說，「剛開始我還懷疑她，後來她為了那個孩子，自己也消耗許多內力，果真人不可貌相。」

「其實我一開始也覺得她是江湖郎中、密醫。」宗元不好意思的搔搔頭。

「你的皮膚還癢嗎？」亞靖問。

「那個藥膏挺有效的，已經沒那麼癢了。」宗元看看自己的手，紅疹消退很多。

「那你沒事就多擦點。」亞靖說。

兩人一邊說一邊走著，遠遠的就看見收到字條找來的紫珊。

「你們為什麼會來這裡？」紫珊好奇的問。

「我不是跟亞靖去看醫生嗎？我們在那遇到一個婦人帶孩子求醫……」宗元把事情經過大致告訴了紫珊。

「這祝由科好神奇啊！」紫珊說。

「怎麼只有你一個人？」亞靖問。

「跟你們分開後，我們先去吃點東西，然後隨意逛逛，這時一個鬍鬚大漢牽著一個六、七歲小男孩迎面走來，那小孩手裡拿著一個吃了一半的包子，忽然把包子丟到儀萱的身上，沾得她一身肉汁。儀萱瞪了小孩一眼，我看鬍鬚大漢很不高興，拉著男孩就要走人，但男孩眼神滿是驚恐，還一直看著我們，便覺得哪裡怪怪的，出手攔下他們。

「我大聲的說：『這孩子也太沒教養了，居然拿包子砸人，你們至少該道個歉，你這個爹是怎麼當的？』」，那個大漢臉色一變說：『是是是，我帶回家管教。』說著又拉著小男孩要走，這時儀萱和曄廷也看出異樣，走上前拉著男孩的另一隻手，施法傳到大漢的手上。大漢像是手觸電一般哇哇大叫，馬上放開男孩。他瞪了我們一眼，馬上轉身溜走，不見蹤影。

「我們問男孩那個大漢是誰，這時男孩才跟我們說，他跟他娘親逛街走散了，這個鬍鬚大漢說會帶他去找娘親，可是卻拉著他往相反方向走。男孩知道自己遇到壞人，他看到我們三人結伴，就丟包子引起我們注意。還好他反應快，才沒被人口販子帶走。」

「也還好你機警。」亞靖說。

「那曄廷他們呢？」宗元問。

「那男孩叫吳風，他說他們家是開古董店的，我們怕他又被壞人帶走，所以決定讓曄廷跟儀萱帶他回家，我去小兒科跟你們會合。我去了小兒科看到宗元的紙條，才找來這裡。」紫珊說。

「吳家古董店在前面不遠，我們過去找他們。」宗元說。

三人來到大街上，沒多久就抵達古董店外，這裡有個攤子，攤子上掛了一些字畫，擺了一些古董瓷瓶，後面則是店面，專賣高級的古董。

一個高瘦、留著小鬍子的年輕男子使勁的對著幾個穿著體面的客人推銷一幅山水畫，他瞄了宗元三人一眼，看他們是小孩，不會買古董，雖然沒趕他們走，但也沒想要多花力氣招呼。

紫珊上前客氣的說：「大哥你好，我是來找朋友的。」

「朋友？這裡沒有你的朋友。」男子不耐煩的揮著手。

「今天在路上有人拐走吳風，我跟朋友們把壞人趕走後，吳風說他住這裡，讓我的兩位朋友送他回來，我們是來這裡跟他們會合的。」紫珊不疾不徐的說。

男子聽到吳風的名字，臉色變得和緩，再聽到紫珊的描述，態度馬上變得親切，「原來是小少爺的恩人，快請進。我叫阿貴，三位如何稱呼？」

「我叫紫珊，」紫珊指著另外兩人，「這是宗元，亞靖。」

「這裡走。」阿貴領著他們往內走。

「謝謝。」紫珊說。

「真不好意思啊，剛才怠慢了。」阿貴抓抓耳朵，強健的肌肉在衣衫下看得很清楚，「最近店裡發生許多事，我們做伙計的，當然要更加小心。」

「發生什麼事了？」宗元好奇的問。紫珊白了他一眼，嫌他多事。

「老爺的事，小的不好多說，就是做好自己的本分，幫忙多看著點，你們說是不是？」阿貴堆著笑臉，不過沒有鬆口多談，宗元也不好再問下去。

阿貴帶他們來到大廳，這裡牆上掛滿字畫，兩旁都是精緻的木架，架上排滿各式各樣的古董陶瓷、玉器、青銅器，顯得琳瑯滿目，豐富多樣，卻不會擁擠雜亂。

一名清瘦的中年男子坐在正中央一張紫檀太師椅上，儀萱跟曄廷坐在他對面。

「老爺，這三位公子小姐是救小少爺的恩人和朋友，我帶他們進來。」阿貴恭敬的說。

「紫珊，你找到他們了。」儀萱幫他們介紹，「這是吳老闆，吳風的爹。」

「吳老闆。」三人同時說。阿貴躬身離開。

「吳風呢？」紫珊問。

「他受了驚嚇，他娘帶他進去休息。」曄廷說。

「來來來，快坐。」吳老闆的聲音沙啞低沉，但是語氣顯得豪邁熱切。

「我剛剛才跟你朋友說到，這世道越來越亂，仗義直言的人太少，更不要說願意挺身救人。在下感謝幾位小俠相助，救回小兒，不然的話……唉，太可怕了，不敢想像啊！」吳老闆連聲嘆氣。

「竟然敢在光天化日下抓人，實在很囂張！」儀萱忿忿的說。

「在下謹記先父的教誨，做人講信義，為人要誠懇，有能者要助人，潔身自愛，良善待人。現在呢？有人走捷徑，有人傷天害理，有人欺負弱小，有人偷雞摸狗。唉，讓人心寒啊！」吳老闆感嘆的說。

五人對看一眼，這〈清明上河圖〉看起來熱鬧太平，想不到也是這麼多事，看來有人的地方就有紛爭。

「這間古董店，是吳家傳下來的老店，每一代的老闆都戰戰兢兢，勤奮努力的看守家業，但有人就想著不勞而獲，擄人打劫。唉，還好有你們幾位少年英雄，見義勇為，我家小兒才能平安歸來啊。」

「還好孩子找到了，沒事了。」紫珊安慰著說。

「這種事常發生嗎？」宗元問。

「我也不知道是不是常發生。我平時忙著生意，最近實在……唉！」吳老闆又嘆了一口氣。

大家都可以感受到他似乎遭遇了什麼困難，宗元又想開口問，紫珊拉了他一下，眼神暗示他不要探人隱私。這時候傳來一陣嚷嚷聲，大家聽到阿貴喊著：「雷大少爺，你不能進去啊，我們家老爺有貴客……」

沒多久，一個男子氣急敗壞的闖了進來，阿貴跟在他的後面。

「老爺，很抱歉，我沒攔住城北雷大少爺。」阿貴說。

亞靖跟宗元對看一眼，他們記得，翠娥說她住城北雷家，也提到她家相公最近才來過這間古董店買東西，看來這個雷大少爺就是她夫婿，這對夫妻也真有意思，都喜歡慌慌張張的硬闖。

吳老闆對阿貴揮揮手，「沒關係，你出去吧。」

這個雷少爺長相白淨，下巴尖削，此時眼睛圓睜，滿臉怒氣。

「你們把曾姬壺弄不見的事，到底要瞞多久！」雷少爺吼著。

古物的身世——清院本　清明上河圖

文／國立故宮博物院研究人員　林宛儒

這件色彩亮麗、細節豐富的清院本〈清明上河圖〉，是由清朝宮廷畫家通力合作，在十一點五公尺長的畫面中，精細的描繪人物、風俗、建築，構築而成的繁華城市圖像。所謂「清院本」，也就是清代宮廷畫院出品之意，畫卷末端款題寫著：「乾隆元年（1736）十二月十五日奉敕。臣陳枚、孫祜、金昆、戴洪、程志道恭畫。」記錄作品完成時間與繪製者。清高宗（1736-1795在位，下稱乾隆帝）特別作詩稱頌讚揚，並委由

詞臣——也就是文學造詣良好的大臣，梁師正（1697-1763），以流暢行書將詩句寫錄於畫作前端的綾布。這首詩這麼寫著：「蜀錦裝全璧，吳工聚碎金。謳歌萬井富，城闕九重深。盛事誠觀止，遺踪借探尋。當時誇豫大，此日歎徽欽。乾隆壬戌（1742）春三月御題。臣梁詩正敬書。」表示畫作、畫家與裝裱用料都是當朝一時之選。畫作起始處，還有皇帝御書「繪苑璠瑤」（璠音同「瓊」），也有一說，書法是由梁師正代筆），詩句大意是讚賞這件作品為繪畫界的美玉、珍寶。不僅如此，清院本〈清明

清院本〈清明上河圖〉局部

上河圖〉也收入乾隆帝的書畫典藏目錄——《石渠寶笈》初編，畫上鈐印「乾隆御覽之寶」、「乾隆鑑賞」、「石渠鑑賞」、「三希堂精鑑璽」、「宜子孫」、「養心殿鑑藏寶」等圖章，是標誌皇帝與其鑑賞團隊認證為精品的印記。

〈清明上河圖〉有什麼了不起？

談論到描繪城市繁華圖像，「清明上河圖」雖非首創，卻是此類型裡極具標誌性的作品。目前學界公認為北宋張擇端（1085-1145）繪製之〈清明上河圖〉，是最具代表性的十世紀作品。這卷張擇端本〈清明上河圖〉描繪首都汴京城在清明時節繁榮熙攘的面貌，隨著畫面帶領，描

北宋 張擇端〈清明上河圖〉局部 北京故宮博物院藏　（圖片出處：維基百科）

繪自城外近郊朝城市前進沿途景觀，尤其是豐富的人物風俗活動與精湛的物象描繪，被視為認識此時期汴京城的圖像素材，更是引起近代學界廣泛注意，引發眾多歷史、文化與藝術相關研究，甚至形成「清明上河學」熱潮。

學術研究的關注固然說明「清明上河圖」之重要，然而「清明上河圖」的魅力並非由學術研究來彰顯。描繪安居樂業的城市景觀來指涉當朝統御治理清明，帶有「聖人治世」涵義，使這個題材本身就受到高度注目。歷來張擇端本〈清明上河圖〉便是繪畫史中著名題材，在明清時期更有大量以「清明上河圖」為名的畫作被創造，流通於商品市場。以故宮的典藏來說，曾收錄於《石渠寶笈》、歸屬於明代的「清明上河圖」就有五卷之多，更不用說全球各公私收藏作品了。明代甚至出現〈皇都積勝圖〉、〈姑蘇繁華圖〉、〈南都繁會圖〉描繪其他大都市的作品，進一步講，不只是城市繁華圖繪的流行，描繪城市變得多元，更彰顯這類作品的「當代性」。雖然出現更多以當代城市為對象的城市繁華圖，「清明上河圖」在明代仍是最為炙手可熱的題材。

奪寶大作戰

明代「清明上河圖」熱潮，帶動眾多仿製畫的生產，好事者莫不以擁有一卷〈清明上河圖〉為目標，作品質量、繪製年代、流傳身世，乃至於畫家是誰等都是收藏者競逐的項目。在明代筆記小說裡面，便流傳一則由〈清明上河圖〉在當時引發的奪寶軼事，各版本記載細節或有出入，大致來說故事是這樣的：明代權宦嚴嵩（1480-1567）勢力如日中天時，到處搜羅珍品財寶，後來興趣甚至轉向書畫、古董等風雅之物。他的下屬胡宗憲、趙文華等人於蘇州任職時，亦不遺餘力的為他搜羅各種古玩。當嚴嵩聽聞前宰相王鏊收藏了北宋張擇端〈清明上河圖〉，便要蘇州出身的湯臣幫他取得這件名作。湯臣擅長書畫裝裱，與蘇州文人圈頗有往來，他找了當時在朝任官的王忬（1507-1560）協助取得此畫，但王忬即使出重金購買，王鏊也不願讓售，他只

傳宋　張擇端〈清明易簡圖〉局部

好找了蘇州地區著名的職業畫家黃彪，摹製一卷〈清明上河圖〉覆命。嚴嵩以為獲得畫史名作，非常開心，辦了酒會向出席的達官貴人炫耀，席中有知曉內情的人舉發此為王忬製作的贗本，使嚴家顏面盡失，因而種下對王忬的怨懟。後來王忬受誣陷入獄，被公開處決，或與此偽畫事件有關。本院收藏的〈清明易簡圖〉，傳稱為北宋張擇端所畫。從畫風來看，應該是明代職業畫坊的仿製畫。有趣的是，這件作品上竟然出現嚴世蕃（1513-1565，即嚴嵩之子）的收藏印，估計是當時人對此一軼聞穿鑿附會下的產物。

「清明上河圖」畫什麼？

由於存世的畫作數量龐大，學者甚至以「清明上河圖系」

圖1傳明 仇英〈清明上河圖〉局部

圖2傳明 仇英〈清明上河圖〉局部

圖 3 北宋 張擇端〈清明上河圖〉局部
北京故宮博物院藏　（圖片出處：維基百科）

圖 4 傳明 仇英〈清明上河圖〉局部

圖 5 清院本〈清明上河圖〉局部

來統稱這類作品。那麼，這些明代出現的〈清明上河圖〉跟北宋張擇端本，乃至於清院本繪製內容一樣嗎？這個問題牽涉到複雜的畫面比對，特別是這些作品尺幅、長度並不相同，各段落內容也有所出入。然而就主要場景而論，確實可以看到共通的表現，以及大家所津津樂道的細節，例如大橋、行舟、攤販、城門（圖1、圖2）等。

張擇端本〈清明上河圖〉現存長度約五百二十八公分，畫面停止在入城門後的市井活動，未能得知接續內容。故宮所藏明代仿製本群，長度從四百到八百多公分不等，有的結束在市井活動，類似張擇端本（圖3）；另有數個本子後面繪製一大段建築院落、華麗宮闕以及龍舟競渡的場景（圖4），而清院本〈清明上河圖〉結尾處也是類似的安排（圖5）。

經由這樣的觀察，讀者或已猜測清院本〈清明上河圖〉應該綜合了歷來版本場景，構成這十一公尺之長的面貌。然而，單單綜合各家版本與內容，並不會讓宮廷畫家創作出如此精采的清院本〈清明上河圖〉，這卷清院本厲害跟特別的地方有哪些呢？首先，相較於明代以前各版本，清院本更加追求紙面上能呈現的空間深度，同時也增加觀者視野的遼闊感，例如在建築院落部分，觀眾更容易觀察到清院本表現遠處的企圖（圖

圖6清院本〈清明上河圖〉局部

圖7清院本〈清明上河圖〉局部

6）。畫家們為了在三十六公分高的紙張上達到所謂「咫尺千里」效果，採取較高的視角，透過成群之建築、院落營造層次豐富的空間，同時依照近大遠小原則，安排景物尺寸。是故，畫面看起來便有很合理的空間感（圖7）。

相較於明代以前諸版本，清院本增加的空間層次也意味著畫面需要更多人群、活動。在清院本之前，這類活動大多沿著河道、大街周邊展開，建築內雖有人物活動，比例較少，人物只是「存在」建物中（圖8）。到了清院本，各式各樣的活動增加，觀者更常能於不經意之處看到讓人會心一笑的庶民日常，例如：搬家、打架、小孩仆街，彷彿社會新聞版面（圖9）。於大量建築物內描繪生活日常的比例也提高，人與空間互動的複雜度更是大大提升，例如憑欄、跨越門檻這類動作（圖10-13），在在展現畫家合理安排物象之優越能力。

圖8 傳明　仇英〈清明上河圖〉

清院本〈清明上河圖〉畫的是哪裡？

儘管是承繼宋代以來描繪都城汴京的畫題，然而，清院本〈清明上河圖〉出現的場景、物象，有西洋樓、園林花徑等（圖14），是明代以後出現或流行的，畫中的人物穿著漢服而非清代服飾，在在說明畫家們的目標並非重現十世紀的汴京繁華，亦非

圖 10 搬家

圖 11 仆街孩兒

圖 12 打架與勸架

圖 13 互毆

圖 9-13　清院本〈清明上河圖〉局部

圖 9　婚禮行伍

清代當代城市面貌，彷彿是藉由畫筆展現的烏托邦。

清院本〈清明上河圖〉前段為豐富的庶民活動，末段瑰麗雄偉宮殿場景，山石加重了青綠顏料之使用（圖15），花叢繁盛，營造仙境感，且描繪帶有吉祥意涵的鹿群之外，更出現祥瑞意義的白鹿（圖16）。畫面中段城門旁的衙署立著「固守城池」、「盤詰奸細」標語，一旁卻是或坐或臥的慵懶守城人（圖17），彷若太平盛世。綜合這些元素，有研究者指出，畫家們應以打造出理想世界為目標，作為「聖人治世」的隱喻。

儘管畫作上處處是乾隆帝留下的訊息，相關紀錄告訴我們，清世宗（1723-1735在位，即雍正帝）才是下旨命宮廷院畫家們繪製這件〈清明上河圖〉的人。也就是說，這件作品從雍正六年（1728）到乾隆元年為止，共耗時九年完成。這麼長的作品，有這麼多位畫家參與，而畫面又如此細膩

圖14 清院本〈清明上河圖〉局部

豐富，幾乎無失誤。清宮畫家們是如何做到的呢？這背後有複雜的畫院運作機制，有一項無法繞過的步驟便是「起稿呈覽」，要畫草稿給皇帝，審核通過，才能正式製作。清代宮廷畫家沈源所繪之〈清明上河圖〉可說是清院本的雙胞姊妹，長度接近，內容幾乎一致。這件作品除了少數地方如建築、花叢有點染顏色示意以外，並無上色。有學者研究指出，這件未著色的版本，應該是清院本的稿本。兩相比較，仍可見到稿本到完稿之間改動處，例如清院本的西洋建築，在沈源版本中，是漢式樣貌。

圖 15

圖 16

圖 17

圖 15-17　清院本〈清明上河圖〉局部

小結

清院本〈清明上河圖〉是一件描繪細緻、情節豐富的作品。周邊訊息也告訴我們，這件作品集合了宮廷畫家團隊之力，運用許多當時先進的繪畫技術及資源，例如透視的概念讓空間層次更豐富，物象合理安排；明暗對比塑造景物立體感等，給予從宋代以來的古老繪畫題材，一個經過重新詮釋、創造的繁華城市樣貌。

清 沈源〈清明上河圖〉

第二部 曾姬壺

1

「唉！」吳老闆又重重嘆一口氣，眉頭鎖得更緊了，「不是有意相瞞，實在是……在下也慌了。」

「做生意講信用，還是你們收了我的錢，卻想將曾姬壺私吞，不肯拿出來，假裝說不見了？」雷少爺盛氣凌人的問。

「我……」

「發生了什麼事？什麼東西不見了？」宗元終於忍不住，好奇的問。

「你誰啊你！大人在講話，你們這些小孩快滾出去。」雷少爺對他們吼道。

宗元轉頭看著他，微微一笑，「雷少爺，翠娥還好嗎？」

雷少爺一愣，「你是誰？你認識我娘子？你跟她什麼關係？」

「我當然認識她啊，她今天還請我過去吃飯呢！」宗元嬉皮笑臉的說。

雷少爺臉色一變，一股氣上來，右手握拳對著宗元揮去。

宗元笑臉不變，伸出左手握住對方的拳頭。他微微施力，雷少爺就覺得冷氣直灌百骸四肢，像是被丟進冬天的汴河一般，凍得全身無力。宗元再施法，手一推，雷少爺便後退好幾步，一個踉蹌往後倒去。

「啊！」他忍不住叫出來。這時亞靖出手從後面扶住他，雷少爺感到另一股溫暖氣息從背後傳來，整個人總算恢復正常，站穩腳步。

經過這兩下，雷少爺知道這幾個小孩並不是尋常之輩，也想到方才自己氣沖沖衝進來時，阿貴的確有說到吳老闆在跟「貴客」見面。

吳老闆也是見多識廣的人，看到宗元和亞靖稍稍出手，暴跳如雷的雷少爺馬上就安靜下來，更是對這幾個人另眼相看。

「今天翠娥帶著小彥去看大夫，遇到了我跟亞靖，我們陪著她去祝由科，跟祝由師一起逼出小彥體內的邪氣。」宗元把過程大致說了一遍，曄廷跟儀萱也是第一次聽到。

「啊，我想起來了，翠娥回來時有告訴我，我……我因為曾姬壺的消息一時心急，就沒將這件事放在心裡，」雷少爺一臉尷尬，「原來你們就是幫小兒的恩人，東明多有得罪，請多見諒。」

雷東明脾氣來得快，去得也快，倒是爽快的作揖道歉。

「原來大家都認識，也是有緣。坐，坐，我讓人給大家沏茶。」吳老闆招呼大家。

等每個人都喝了茶後，吳老闆才說起緣由。

「曾姬壺是戰國時期製作的銅器。曾國是周朝封的諸侯國之一，建國在漢水的隨地，後來成了南方最大的諸侯國，是周天子控制南方很重要的屬地。春秋末年，吳王闔閭發兵攻打楚國，在伍子胥的帶兵下，從淮水流域往西攻到漢水，一路勢如破竹，攻下楚國的國都，逼得楚昭王出逃。楚昭王來到曾國，請求曾國收留，吳王命令曾國交出楚昭王，曾國不從，庇護了楚昭王。

「後來曾楚兩國關係時好時壞，曾國因幫助過楚昭王，也讓楚國在一百年間沒有一下子滅了曾國。到了楚聲王時，曾國為了鞏固兩國的關係，把自家的公主嫁給楚王。」

吳老闆頓一下，再喝一口茶，身體前傾看著大家說：「這位曾國公主啊，美貌無雙，十六歲嫁到楚國，以為可以享盡富貴榮華。沒想到，楚國內亂不斷，國事不平，楚聲王在位第六年，一天夜裡，一個刺客摸進了宮，一劍刺進楚聲王胸口，就這樣，王后變成寡婦，獨守後宮的寂寞。

「一年年過去，楚國的國事依然危顫不安，但是這位王后在宮中的德行卻受人景仰。楚宣王二十六年，她病逝楚國，宣王為了表示對她的尊崇，打造了一對銅壺作為祭祀她的禮器。

「這對銅壺是千年古董，輾轉來到我手裡，賣給我的人說，楚國的宮裡傳言，這對銅壺一定要分開擺放，不然會招來厄運。古董這東西，在不同人的手裡流轉，就會經歷各種不同的事件，什麼好的壞的都會遇到。不要忘了，古董買賣牽扯到錢，既牽扯到錢啊，很多事就難說了。每件古董都有屬於自己的故事，只可惜它們不會說話，不然可精采了。」

五個人都點點頭表示同意，他們也都經歷過自己祖先留下來的器物所帶來的奇幻事件。

「所以這兩件古董在你這裡時，出現了什麼問題嗎？」儀萱問。

「對啊，你怎麼沒告訴我兩尊壺不能擺在一起這件事？」雷東明忿忿的說。

吳老闆尷尬的咳一聲，繼續說：「我們吳家代代經營古董生意，最不能不信邪，但這兩尊曾姬壺，不僅要一起賣才值錢，而且既然是禮器，擺在一起才有意義，但是招來厄運的傳聞若讓買家知道，要賣就不容易了。所以我去找來道士，道士拿劍對著銅壺比劃一早上，說施法完成，平安無事了，兩件銅器之後可以放在一起，還收我一大筆錢。

「後來我將兩件銅器一起擺到架上，怪事便接二連三的發生，先是家裡養的大黃狗不見了，怎麼找也找不到；我家娘子在院子晾衣服，卻摔傷了腿；架子上的古董會莫名其妙的掉下來；岳母來家裡小住，卻忽然昏迷不醒。

「我趕快把兩件銅器分開擺放，一個放前廳，一個放後廳，可是怪事還是發生。我繼續找道士來施法，可是遇到的不是只想趁人之危大賺一筆，就是聽我的描述嚇得跑掉，怕被厄運連累。後來遇到一個年輕的道士，他說這兩件古董的確帶著邪氣，建議我去找祝由師，他說祝由師不僅替人看病，也會唸咒驅除邪魔，所以我就找了祝由師來看看……」

亞靖跟宗元對看一眼，宗元說：「那個祝由師是不是一個駝背的女人？」

「駝背的女人？」吳老闆一臉困惑，「不是不是，是一個尖臉瘦長的男人，他要我稱他燐師。」

「祝由師不只一個人也是正常。」紫珊說。

「剛剛宗元也提到祝由師，那是什麼？」儀萱問。

吳老闆說：「祝由術在先秦的時候就很普遍，元朝開始，被編制太醫院十三科。祝由科的醫病方式不是傳統的針灸、草藥，而是移精變氣的原理。手法有咒語、符紙、手勢、掐訣等等，醫治的對象不只是人，對自然萬物都有其效。」

他喝了一口茶，繼續說下去：「燐師看了兩尊壺後說：『這兩尊壺帶著煞氣，邪！我可以幫你，不過我的能力不夠強，要些時間。』我想著，又來了，就是要錢嘛！我正要拒絕時，他又說：『我不收任何銀兩，不過我要在你這住上一個月。』我這裡雖不是旅店，但是親朋好友，甚至泛泛之交過來，要留宿個幾天都沒問題，我想了想便答應了。

「燐師接著又說：『我不是要占你便宜，是我需要一個月的時間來幫你驅邪，你只要照我的話做，定可如意。』我應允下來，但也要他保證，這件事千萬不可以讓任何人知道，我不想讓曾姬壺會帶來厄運的消息傳出去。」

「燐師拿出兩張暗紅紙，在上面各寫幾個字，那些字我一個也不認得，他還用筆在上面畫符，然後一張拿到後廳，貼在一尊壺的壺身；一張拿到前廳，貼在另一尊壺的壺底。說也奇怪，當天岳母就醒了。

「燐師每天各去前廳和後廳三次，替銅壺換新符，唸咒語，就這樣娘子的腿好了，大黃狗自己回來了，古董架子也沒事了，其他大大小小的問題都一一解決。有一天，他跟我說解煞之事已有大進展，叫我白天把兩尊壺放在一起，晚上再分開放。我一聽喜出望外，看來這個祝由師真的有幾分能耐。

「我白天把這對曾姬壺放在店裡最明顯的架子上，晚上再把其中一尊放到後廳，燐師也每天持續施咒。想不到才過了三天，雷少爺就來店裡了。」

說到這，大家都看向雷東明。

雷東明似乎不太習慣大家的注目，白淨的臉紅了起來，他說道：「我娘半年多前過世，她生前喜歡收藏古董，這大半年來我跟我爹到處尋找特別的古董，準備在娘的忌日時拿來祭祀。那天我來到吳老闆的店，看到架上有兩尊約兩尺高的銅壺，兩壺外形一模一樣，壺身都有回首爬獸耳，器頂蓋上都有四根三寸長的鈕，瓶身裝飾著蟠虺紋。這東西我估計源自春秋或戰國，一問之下果然沒錯，這兩尊壺是戰國時期楚國的物品。

「吳老闆告訴我，兩尊壺是楚聲王的後人用來祭祀楚國王后曾姬用的。我一聽大喜，這不就是我跟爹在找的東西嗎？娘在天之靈看了一定歡喜。我問了價錢，想不到兩尊壺那麼貴，我不能作主，所以請吳老闆把東西留著，我跟爹商量後再來買。五天之後，我籌足了銀兩回來，吳老闆說，這對壺是我們的了，不過他聽說我要拿來祭祀娘親，特地請人把銅壺上上下下修整一番，一尊已經弄好了，另一尊還在趕工中，於是他讓我先帶一尊回去，說另外一尊修整好後就親自送過來。我們雷家跟吳老闆做生意已經是好幾代的事，吳老闆信譽好，遠近皆知，我當然說好，便留下銀兩，帶走其中一尊曾姬壺。沒想到幾天過去，吳老闆遲遲都沒把另一尊壺送來，我上門詢問，他不是說還沒弄好，就是說什麼在壺底找到鏽斑，既然是要用來祭祀先人，一定得找人修整好，總之就是推三阻四的。今天我聽到消息，說吳老闆的古董壺不見了，我才知道他再三延遲的原因。我看啊，他是把另一尊壺高價賣給別人了，就是一個貪財的傢伙，哼！」

雷東明說完，忿忿的瞪了吳老闆一眼。

「吳老闆，現在這尊壺在哪？你拿了錢，為什麼不肯給雷少爺？」曄廷問。

吳老闆臉色慚愧的低下頭說：「這壺真的不見了，我沒有騙人，也沒有另外賣人。雷少爺說想要買那對曾姬壺時，我非常開心，只是燐師說驅邪的法術還沒有完成，兩尊壺還是不能整天擺在一起，於是建議我先給出其中一尊，讓他單獨對另一尊壺施符咒，等三天後就可以讓兩尊壺並存了。所以我才會編造那些說詞，讓雷少爺同意先帶一尊壺回去。

「只是沒想到，雷少爺將壺帶回去的第二天，另一尊壺就不見了。我著急得要命，派人四處去找，家裡上上下下翻了好多遍。要知道那可不是小東西啊，兩尺高呢！怎麼可能就這樣不見了？」

「你有報警……報官府嗎？」宗元問。

「沒有，」吳老闆一臉懊悔，「我不想消息傳開，讓雷少爺知道這件事，把錢要回去。所以沒報官府，也沒讓人知道。」

「你這樣不就讓竊賊越逃越遠，更是無從找起了！自私自利！」雷東明指著吳老闆罵。

「是、是……我不對，唉，這人為什麼要偷曾姬壺？真的是把我害慘了。」吳老闆懊惱的流下眼淚。

「吳老闆，我想，你跟雷少爺商量一下，既然你只給了他一尊壺，那就退一半的錢給他……」紫珊的話還沒說完，雷少爺就打斷她。

「不要了！我不要這曾姬壺了！這東西太邪門了，不能拿來祭祀我娘，我明天把壺拿來，你把錢全還給我！」雷少爺厲聲的說。

「我、我沒錢……」吳老闆低下頭小聲的說。

「我給了你六萬兩銀子，六萬兩耶！怎麼會沒錢？還我錢來。」雷少爺往前走一步。亞靖擔心他會對吳老闆動手，從旁邊拉住了他。

其他人等待吳老闆解釋那筆錢的下落，可是他就是緊閉著嘴，不再說話。

「吳老闆，你今天不把錢拿出來，我就去報官府，到時候，你就別想好好做生意了！」雷東明威脅著說。

吳老闆只是無聲的流眼淚。

紫珊想了想，對雷東明說：「不然這樣，當初吳老闆給你五天去籌錢，現在吳老闆遇到困難，你也給他五天的時間去籌錢，說不定他可以找到不見的壺，也尋得其他的買家，就有錢可以還你了。」

見雷東明不說話，紫珊繼續說道理：「你手邊雖有一壺，但是事情如果鬧大，吳老闆被官府抓去，古董店關門，大家都知道曾姬壺有鬼，你的壺也會賣不出去，放在家裡不放心，丟掉也可惜。不如先等個五天，我會幫吳老闆找找看，你覺得怎樣？」

「是啊，何必兩敗俱傷呢？我也會幫忙的。」宗元勸道。先前紫珊老是覺得他愛管閒事，常常阻止他，想不到這次也有意要幫忙。宗元給了她一個激賞的眼神。紫珊也微微一笑。

雷東明雖然個性衝動，但他不是愚庸之人，他想了想紫珊的話，覺得有道理，加上先前從翠娥那裡聽到宗元和亞靖的事情，知道兩人的能耐，說不定，這些人真可以幫忙找到另一尊壺，把錢拿回來。

雷東明看了看所有人，眼睛最後定在吳老闆身上說：「好，給你五天的時間，今天算第一天。我的曾姬壺先留著，五天後，等你拿出六萬兩，我們一手交錢，一手交貨。」

「吳老闆，你覺得呢？」紫珊轉頭問。

「我？喔，好……」吳老闆聽起來是同意，但是語氣並不樂觀。

「那我先走了，五天之後在這裡見。」雷東明說完轉身離開。

2

曄廷看吳老闆坐在那，臉上帶著鼻涕淚痕，一臉疲倦，他把另外四人拉到一邊。

「喂，我們真的要幫他們找曾姬壺嗎？」曄廷悄聲的問，「我們不能在畫裡待那麼久不回去啦。」

「不用擔心，我可以用巫術，讓我們不管待多久，回到故宮都只是消失了五分鐘。」儀萱眨眨眼說。

宗元轉向紫珊，「你不是老是阻止我不要多管閒事，為什麼你這次想幫吳老闆？」

紫珊聳聳肩說：「既然我們遇上了，現在拍拍屁股走人感覺不夠道義，而且我們有能力，那就多幫助別人啊。另外，之前遇到的事，比較像是我們祖先的恩怨，導致我們五個人後來也被捲入，必須去把當年他們沒處理好的事情完成。如今在這幅〈清明上河圖〉裡，我們則是可以自己決定要不要幫人解決問題，感覺比較主動，也更有成就感。」

「我是覺得祝由術挺神祕的，想多知道一些。」儀萱說。

「所以儀萱也贊成，加上我跟紫珊，三票。亞靖你呢？算了，你不用回也沒關係，三票已經超過半數了。」宗元說。

「我也可以留下幫忙。」亞靖說。宗元對他豎起大拇指。

「曄廷如果不想參與，可以先回去，反正他可以自由進出畫境，到時候記得來接我們就行。」紫珊說。

「不行，我帶你們來，就要負責你們的安全，我也留下來。」曄廷說。

「好，那我們一起行動。」儀萱開心的拍拍他的肩膀。

這時吳老闆抬起頭看向他們，「你們……真的願意幫我嗎？我聽你們的口音，像是南方來的外地人，雖然你們還是孩子，但是談吐不凡，身懷絕技，如果你們肯幫忙，那就太好了。」

「吳老闆，我們可以問你一些問題嗎？」紫珊問。

吳老闆點點頭。

「你是怎麼發現曾姬壺不見的？」紫珊開始提問。

「九天前，雷東明把其中一尊壺拿走後，我就把另外一尊拿到後廳去。晚上，燐師要去施祝由術時，發現那尊壺不見了。是他告訴我這個消息的。我馬上命人把門窗都鎖上，在宅子內嚴嚴實實翻找一遍，那尊壺有兩尺高啊！」吳老闆用兩手比了一下大小，讓大家有概念，那的確不是一個小東西。

「我們可以去後廳看看嗎？」宗元問。

「好，跟我來。」吳老闆站起身，領著大家往後走。

他們經過長廊，繞過中庭的小花園，來到後面一排房間，吳老闆從懷裡掏出鑰匙，帶他們進入中間一個比較大的房間。

這裡跟前廳一樣，到處擺放著古董，不同的是，前廳是招呼客人的門面，比較氣派，整齊雅緻，這裡就是一排排簡單的架子和櫥櫃，專門用來存放古董，看起來比較像倉庫。

「這裡，」吳老闆指著角落一張空著的桌子，「我每天晚上會把其中一尊曾姬壺拿到這裡。」

「除了你，還有誰有這個房間的鑰匙？」儀萱問。

「我家娘子明珠。不過岳母醒來，明珠的腿傷也痊癒之後，她就陪岳母回娘家小住，到現在還沒回來。」吳老闆說。

「你娘子回娘家？那為什麼小風說他是跟他娘一起出來的？」曄廷問。

「小風的娘是我的小妾。」吳老闆回答。

「她身上也有鑰匙嗎？」紫珊問。

「沒有。」吳老闆說，「喔，還有阿貴，每天晚上會由阿貴幫燐師開門，讓他進來施咒。那天就是他們兩個一起發現曾姬壺不見的。」吳老闆說。

「你有問過阿貴嗎？」宗元問。

「阿貴？不會是他拿的，他在吳家幾十年了，老實又勤奮，而且是他跟燐師一起發現壺不見的。」吳老闆搖搖頭。

「阿貴看起來盡忠職守，可以信任，不過我們還是應該把所有人都調查清楚。或許阿貴在你把壺送到這裡後，晚上施法前偷偷找機會溜進來，把壺偷走，到了晚上再跟燐師過來一趟，表現出很驚訝，東西不見的樣子。」宗元說。

「不可能。」吳老闆說，「阿貴的工作是在外面顧攤子，那天也是，沒有不一樣，而我在這裡陪一個客人聊天談生意，他如果要去後廳，一定會經過這裡，我也一定會看到。」

「他可能不是去拿壺的人，但是說不定跟誰合謀，他只要把鑰匙給那個人，就不用自己出面，讓別人去拿就好。」紫珊說，「我會這樣猜，是因為吳老闆希望曾姬壺能順利賣出，一定不會讓全天下的人都知道壺會帶來厄運，也不會讓人知道祝由師在施咒的事情，所以我想，偷壺的人一定是你們店裡的人，知道這個祕密，而且又可以拿到鑰匙。」

吳老闆想著她的話，嘴巴半開，似乎不願這樣想，但又有點動搖。

「我們需要找阿貴聊聊，但不會表現出懷疑，說不定可以套出什麼訊息。」紫珊說。

「那個燐師，他還住這裡嗎？」曄廷問。

「沒有，曾姬壺不見後，他覺得沒事做，第二天就離開了。我想給他一些謝禮，他也不收。」吳老闆說。

「除了您、阿貴、您的兩位夫人、小風，還有誰住在這裡，或是經常在這裡進出？」儀萱問。

「還有我娘跟弟弟，他們住在更後面的廂房。」吳老闆說，「不過他們沒有這個房間的鑰匙。」

「還是要問問他們那天在哪？做些什麼？我方便去問問嗎？」儀萱問。

吳老闆遲疑了一下，五人沒有錯過他神情上的改變，不過他很快恢復正常，爽朗的說：「可以，可以。我來安排。」

「亞靖，你有沒有什麼想法？或者有沒有想問的問題？」紫珊給了亞靖一個鼓勵的眼光。

亞靖輕點一下頭，他話一向不多，心中感激紫珊那份不想讓他覺得被排除在外的體貼，但是他其實並不在意，他有他面對社交的態度。

「雷少爺說，有人告訴他曾姬壺不見了，可是吳老闆說這是祕密，不願張揚，那是誰把消息傳出去的？」亞靖提出疑問。

「這跟曾姬壺不見應該沒關係吧？」宗元撇撇嘴。

「有沒有關係現在不知道，但是這部分也是要調查。」紫珊說。

「我們只有五天的時間，夠嗎？」儀萱問。

「你們如果不嫌棄，可以在這住下，這裡有很多空房。你們想問府裡的任何人，都可以去問。」吳老闆大方的說。

紫珊、宗元、儀萱、亞靖同時看向曄廷，雖然他們沒有講好讓曄廷帶隊，但是進出畫境需要他的法力，他也一向顧慮比較多，所以四人都會先徵詢他的意見。

「那就謝謝吳老闆了。」曄廷說。四人對於能夠留下來都覺得開心。

「我才要謝謝各位小俠相助。」吳老闆對他們拱拱手，「請跟我來。」

吳老闆走出庫房，再度把門鎖好，然後帶他們到後面的廂房。

「這間是當初燐師待的房間，三位小俠可以住這。」吳老闆指著一個乾淨簡單的房間說，然後又走到隔壁，「這間沒有人住，兩位姑娘可以住這。」

這間的布置十分雅致，之前似乎有女眷住過。

吳老闆指著東廂的兩個房間說：「那個大的房間是我娘住的，現在她已經歇下了。旁邊是我弟弟逸飛的住處，他出去外地辦事，明天才會回來。」

等將眾人安頓好之後，吳老闆離開前又說：「天色不早了，你們先休息，我請人做好飯菜送來。」

晚上，五個人在女生房間吃著炒肝、烙餅、倭瓜葫蘆、素丸子湯、白水羊頭。那個廚子送來白水羊頭時，他們都嚇一跳，以為真的會看到一個大羊頭，還好是切片的羊頭肉，旁邊還有一小碟椒鹽可以沾著吃。

「好好吃喔，又脆又嫩又香。」宗元夾起一塊羊頭肉，吃得津津有味。

「羊騷味好重啊，」儀萱摀著鼻子，「我最怕吃羊肉了。」

「原來你不喜歡羊肉啊！我很愛羊肉爐呢！」曄廷有點驚訝的說。

「你們一個不吃蛋黃，一個不吃羊肉，我看遲早要ㄘㄟˋ的啦。」宗元拿著筷子指著他們，語氣誇張的說。

儀萱手輕輕一揚，對著宗元施道小法，宗元手中的羊肉飛離筷子，害他一口咬在竹筷上，牙齒痛得大叫一聲，同時那塊羊頭肉落在他的頭上，他又慘叫一聲。

儀萱滿意的喝了一口湯，優雅的微笑著。

「宗元，你皮膚好一點了嗎？」紫珊看著他。

「還是紫珊比較貼心。」宗元對儀萱扮個鬼臉，「好多了，那個大夫的藥膏挺好用的，沒事了。」

「那就好。」紫珊放心的說，「我覺得明天要來分工一下。」

「我們真的可以在五天內找到曾姬壺嗎？」亞靖問。

「來這裡白吃白住的，一定要有些貢獻。」儀萱說。

「你有什麼想法？」曄廷問紫珊。

「曄廷跟儀萱幫忙把小風帶回來，吳老夫人應該會很開心，就由你們去跟她聊聊，也去找吳逸飛問問曾姬壺不見那天有沒有聽到或看到什麼。亞靖跟宗元幫忙救了翠娥跟雷東明的孩子，翠娥還邀你們去吃飯，你們就大方赴約，看看能不能打聽到是誰洩露曾姬壺不見的消息給他們，我覺得亞靖提出的問題可能跟這件事有關。」紫珊一邊梳理頭緒，一邊說出分工的想法。

「那你呢？」儀萱問。

「我去跟吳老闆的小妾聊聊，還有阿貴和其他在這裡工作的僕人廚子。我也會去祝由科問問看哪裡可以找到燐師。」紫珊說。

「祝由科那邊我跟亞靖去啦，那個駝背的祝由師陰陽怪氣的，她不認識你，你可能問不出什麼。我們幫過她，比較好講話。」宗元說。

紫珊點點頭，「也好，那就先這樣決定。」

五人討論一下細節，不知不覺已是深夜，三個男生回去另一個房間，紫珊和儀萱爬上床並肩躺著，還好兩人都算苗條，不會太擠，床褥也十分舒適。

「他們三人不知道怎麼擠一張床，」儀萱咯咯笑了起來，「看誰的法力強嗎？」

紫珊也笑了，「亞靖說他會睡地上。他以前住美國的時候常露營，他說有一床棉被，有屋頂，已經比餐風露宿好多了。」

「欸，那個亞靖是不是喜歡你啊？很多話他只跟你說。」儀萱眨眨大眼睛，小聲的問。

「我覺得他比較信任我，談不上男女的喜歡。」紫珊認真的回答。

「那你比較喜歡他還是宗元？」儀萱又問。

「我啊……我最喜歡曄廷啦，你要不要讓給我？」紫珊給儀萱一個白眼，外加戳戳她的腰，兩個女生嘻嘻笑鬧。

「好啦，我們該睡了，明天還有事要做。」儀萱說。

兩人安靜的躺下，蓋好被子。

「不知道這房間以前是誰住的？布置得挺精緻的，不像是僕人住的地方。」紫珊若有所思的說。

「對啊，吳老闆也沒提到還有哪個女眷住這，或許是專門給他岳母來的時候住的房間。」儀萱說。

紫珊點點頭。的確，吳老闆先前提到岳母來小住，現在回去了。

兩人不再言語，閉上眼睛，進入夢鄉。

3

第二天早上，吃了早餐後，曄廷跟儀萱在院子裡閒晃，來到老夫人住的房間外面。此時房門深鎖，他們不想打擾老人家，正想著該怎麼辦時，一個丫鬟捧了盆水過來，他們以為是要給老夫人早上梳洗用的，卻看丫鬟在給院子裡的花澆水。

「這些花草是老夫人種的嗎？真美。」儀萱跟丫鬟攀談。

「是啊，」小姑娘回答，聲音清脆，「這些芍藥結了好多花苞，等它們開花，老夫人可要開心了。」

儀萱點點頭，想到一個妙計。

小丫鬟澆完水，對她們點個頭就離開。

儀萱看四下無人，雙手對著滿園的芍藥施法。她呼吸運氣，把法力施展到泥土中，賦予土壤更多的能量，芍藥的根吸收了這些能量，往上送到花苞裡。

只見一朵朵含苞待放的芍藥，像是手機縮時錄影那樣，現在快速的綻放，呈現滿庭花開的狀態。

儀萱對曄廷點一下頭，曄廷心領神會，用一種稍微大聲卻又不過分誇張的語調說：「儀萱你看，這裡的芍藥都開花了。」

「是啊，」儀萱的聲音也顯得驚喜歡樂，「哇，好多朵啊！我數數看，一，二，三，四，五，六，七，八，九，十，十一……超過十朵耶。」

「好漂亮啊！」曄廷也讚嘆。

這時，身後的房門咿呀一聲打開，一個老婦人走了出來。

他們想像吳老闆的娘是個老態龍鍾的婦人，可是眼前的婦人年紀雖大，但是看起來身體強健，五官端正有神。

她嚴肅的神情中帶著疑惑，先看著曄廷和儀萱，又看看院子裡的花，臉露驚訝。

「它們居然一個早上全開花了。」老夫人腳步穩健的走過來。

「老夫人，這些都是您種的嗎？」儀萱客氣的問。

「是啊。」老夫人目不轉睛的看著花，臉上嚴肅的線條變得柔和，眼神帶著驚喜。

「老夫人真是妙手啊，把花種得這麼美，這麼雅。」儀萱真誠的說。她雖然作弊，但也只是運用法力加強能量而已，如果這些花草本身不健康，沒有花苞，她也無法無中生有。

「就只是打發時間而已。」老夫人謙虛，但是也掩不住的得意。她看了看兩人問：「你們是哪家的孩子啊，怎麼會在這？」

「老夫人好，我叫曄廷，這是我朋友儀萱，我們結伴來汴京城裡遊玩，昨天在街上遇到有歹人要帶走小風，是我們把小風從壞人手裡救出來的。我們會一些功夫，師父教導我們時便說，要用功夫助人。」曄廷恭敬的說。

「我有聽逸富說這件事，原來就是你們兩位。你們救了吳家的幼苗，老身萬分感激啊！」老夫人說。

「可以跟老夫人借一步說話嗎？」曄廷問。

老夫人臉上閃過一絲疑惑，但是馬上換成「有什麼好怕的」的神情，點點頭，領著兩人進入她的房間。

「小風是個可愛的孩子，老夫人一定很疼他。」儀萱說。

「當然疼，他可是我的孫子啊。」老夫人臉上帶著慈祥的笑容，「真是謝謝你們！」

「路見不平，拔刀相助是應該的。」曄廷說。

「是啊，這些壞人太可惡了。」儀萱說。

「兩位年少有為，老身非常佩服。」老夫人微微一笑。

「老夫人知道吳老闆不見一件古董的事嗎？」曄廷切入正題問道。

「你們想幫他找古董？」老夫人有點驚訝的說，「我聽過這件事，不過你們來問我也沒用，我不知道是誰偷的。」

「曾姬壺不見的那天傍晚，您在家嗎？在做什麼？」曄廷問。

老夫人臉色一沉，口氣轉冷，「你們在懷疑我？逸富要你們來調查我？」

「老夫人，我們只是隨口問問，說不定您那天剛好看到什麼，聽到什麼，可以幫忙找到曾姬壺。吳老闆很尊重您，怎麼可能懷疑您呢？」

老夫人臉色放緩，哼了一聲，「尊重？哼，他如果尊重我這個娘，就不會霸占家產，自己當家作主，現在連個銅壺也弄不見，一點能力都沒有，還想掌管古董店？老爺子真的看走眼了。」

曄廷跟儀萱面面相覷，看來他們母子間有嫌隙，因為古董店經營而不愉快。

「你們自己看這屋子，我是收藏了一些古董，但是那個曾姬壺沒有在這裡！」老夫人說。

曄廷跟儀萱一進房門就掃過一遍，的確沒有曾姬壺的蹤影，當然如果真的是老夫人偷的，或她是主謀，她也不會大剌剌的擺在房裡。只是他們感覺，雖然她跟吳逸富處不好，但東西不是她偷的。

「那您那天有沒有發現府裡有什麼不尋常的事情？」儀萱問。

「沒有什麼特別的。喔，那天傍晚，我在院子裡看花，正想澆水，結果天氣忽然暗下來，我正想說要下雨了，那就不澆水了，但才一會工夫，天氣又放晴，害我一下要澆水一下不要澆水，然後沒下雨後又要澆水。」老夫人碎碎唸著。

這種天氣忽然變化的事情，不能算曾姬壺失竊的異狀，頂多是湊巧而已。兩人原本盤算，老夫人整天待在家裡，或許會聽到什麼風吹草動，像是有人翻牆或講話的聲音等等，結果，老人家關心她的花草，只注意到這樣的事，儀萱跟曄廷有點失望。

這時候，房間門被打開，一名男子直接走了進來。

「娘，孩兒回來了。」男子大約三十多歲，有張堅毅的方臉，身材高壯。

「逸飛，你什麼時候回來的？」老夫人看到兒子，眉開眼笑。

「剛到。」吳逸飛簡短的說。

「剛到?那你不就整晚趕路?跟你說過,晚上盜匪多……」老夫人嘮嘮叨叨的,吳逸飛打斷了她。

「娘,您有客人,那我就不耽擱了,你們聊,我先去梳洗。」說完便轉身走出房間。

曄廷跟儀萱對看一眼,有默契的一起站起身說:「老夫人,不打擾您休息,我們也先離開。」

「等一下,逸富有沒有說,銅壺若是找不回來,他要怎麼賠雷家少爺?」老夫人問。

「這我們就不知道了。」曄廷說。

「喔,你們去吧。」老夫人說。

兩人出了房門,快速跟上吳逸飛。

「請留步。」曄廷馬上就走到他身邊,「我們想問你一些問題,方便嗎?」

「你們是……」吳逸飛正要準備回房。

儀萱向吳逸飛介紹自己和曄廷，同時說出他哥哥要他們幫忙尋找曾姬壺這件事。她仔細觀察他的反應，一時看不出他的態度。

「進來吧。」他打開房門，率先走進去。

「曾姬壺不見的那天，你在哪？」曄廷開門見山的問。

「十天前我在洛陽，跟朋友談生意，娘託人送信來，告訴我曾姬壺不見了，要我回來，我在當地把事情處理一下，現在才回到家。」吳逸飛平穩的敘述。

聽起來有無懈可擊的不在場證明。曄廷想，不過太無懈可擊，有時候反而可疑。

「你娘似乎比較疼你。」儀萱看著吳逸飛試探著說。

「我哥哥的親娘在他十歲生病過世，後來爹娶了我娘，生了我，娘一手將兩個孩子拉拔長大並不容易，對哥哥也沒有不好。我爹幾年前過世，把古董店的生意交給哥哥，娘心裡多少不安，可能隨口講了幾句，你們不要放在心上。」吳逸飛解釋。

原來是這樣，儀萱點點頭，又問：「那吳老闆對你們母子如何？」

「哥哥很照顧我們，我對做古董買賣沒有興趣，在外地經商，哥哥也很支持我，娘在家也生活無虞。」吳逸飛說。

聽起來彼此之間沒有深仇大恨，不會去偷曾姬壺故意給吳老闆惹麻煩。

「你剛從外地回來需要多休息，我們先告退。」曄廷說，便和儀萱離開吳逸飛的房間。

＊＊＊

同一天紫珊見了幾個吳府的僕人、廚子、丫鬟，他們都知道有個叫燐師的客人，而且住了一段時間，但是他們都不知道燐師跟老爺有什麼關係，也不知道店裡生意上的事。曾姬壺不見的那段時間，廚子在灶房做晚餐，僕人都忙著分內的工作，丫鬟本來要端茶給老夫人，看天色變暗，趕忙去收晒在後院的衣服。也就是說，那段時間並沒有人去上鎖的倉庫。

紫珊信步來到門外，看阿貴剛送走一個客人，坐在字畫前的小凳子上休息。

「阿貴，今天生意怎樣？」紫珊走過去，在他旁邊的小凳子上坐下。

「托紫珊姑娘的福，賣掉兩個宋朝小瓷瓶，一件唐朝的玉珮，一張明朝沈度的書帖。」阿貴摸摸下巴一小撮鬍子，開心的說。

「你真是吳老闆的好幫手啊！你在這工作多久了？」紫珊問。

「我本家住城外，爹娘早逝，老太爺看我可憐，收留了我，教我讀書識字和辨認古董。老太爺過世後，老爺留我下來處理一些簡單的古物買賣，但重要、昂貴的那些仍是老爺親自打理。」阿貴說。

「你有成親，有自己的家人嗎？」紫珊問。

「沒有啊，」阿貴搔搔頭，「我現在努力幹活，等哪天攢夠錢，也想要有自己的店，討個媳婦。」

「你也想開古董店嗎？」紫珊問。

「是啊，我就懂這些東西。」阿貴說。

阿貴為人隨和，講了不少古董生意上的事，紫珊也特地看看攤子上的玉器，她在爸爸的教導下對玉和古物有些研究，跟阿貴聊得很投機。

「吳老闆弄丟一尊曾姬壺的事，你怎麼看？」紫珊問。

「我實在想不通，還有誰可以進去庫房，只有我跟老爺有鑰匙啊。」阿貴抓抓頭。

「所以你跟燐師是誰先發現壺不見的？」

「鑰匙在我這裡，所以是我先進到房間，然後就發現桌上是空的，我以為是老爺忘了把壺拿過去，所以就跟燐師去找老爺。老爺一聽非常驚訝，說他已經拿過去了，我們三人快速回到庫房，卻怎麼也找不到，才知道真的不見了。」阿貴嘆口氣說。

「還有其他東西不見嗎？」紫珊問。

「沒有。我趕快清點了一下，只有那壺不在了。」阿貴說。

「那天天氣如何？」紫珊問。

阿貴似乎覺得這個問題有些沒頭沒腦，「很好啊，我整天都在外面，是個晴朗的好日子。」

紫珊微微皺眉，似乎在想什麼。

「吳老太爺對你有恩，吳老闆也很器重你，看來他們都是敦厚的人，做生意應該也算實在老實吧？」紫珊想探聽古董店在生意往來上有沒有對手仇家。

「當然，這裡的富商官家都喜歡來吳家古董店買貨，因為我們考究實在，不會拿假貨騙人，而且品質上等。」阿貴口氣驕傲的說。

「所以吳老闆從沒有得罪什麼人？」

「沒有沒有。」阿貴猛搖頭。

此時一個公子哥模樣的人走過來，「阿貴，最近有沒有什麼新的字畫？」

「有有有，來……」看阿貴忙著招呼客人，紫珊站起來，走回屋內。

紫珊一踏進屋子，吳風就衝了過來，兩人撞個滿懷。紫珊有法力，穩住身體，不像小小的吳風摔倒在地。

「紫珊姑娘！真抱歉，這孩子總是風風火火的，愛到處亂跑，難怪差點被歹人抓走！」一名女子跟在吳風的後面出現，她趕忙把吳風拉起來。紫珊認出她是吳老闆的小妾，吳風的娘——荷花。

「我跟娘玩捉迷藏。紫珊姐姐，你也跟我玩。」吳風笑嘻嘻的說。

「紫珊姐姐有事要忙，你不要吵她，走，我們去院子踢毽子。」荷花拉著吳風，可是吳風的臉立刻垮下來。

「可是我想要跟姐姐玩。」吳風沒有大吵大鬧，抿著嘴，眼淚快掉下來的樣子，讓紫珊很不忍心。

紫珊從小沒有手足，成長過程中一直很羨慕同學們有弟弟妹妹，後來雖然知道是因為隱靈法的限制，但是心裡總是有點遺憾。

「那我陪你踢毽子好不好？」紫珊彎下腰，微笑著說。

「好！」吳風眼中綻放光芒，開心的拍手。

「紫珊姑娘，那就勞煩你了，我去廚房端一些點心茶水過來。」荷花叮嚀了吳風幾句叫他不要搗蛋的話，又遞給他幾個毽子。吳風聽話的點點頭，牽著紫珊的手，兩人來到紫珊房門外的小院子。

吳風年紀雖小，毽子踢得倒是有模有樣，小小的腿一上一下，臉上表情專注，很是可愛。

紫珊沒踢過毽子，也拿一個試試看，才踢兩下就失去控制，毽子飛得高高的，然後掉在自己的頭上。吳風覺得很好笑，咯咯笑個不停。看著小風笑得開心，紫珊也跟著笑。

「小風，你踢得這麼好，是你娘教的？」紫珊隨口問。

「不是，是姊姊教的。」小風咧著嘴說。

「姊姊？哪個姊姊？」紫珊皺起眉頭，她問過吳老闆家裡還有哪些人，他沒提到另外的孩子，可能小風指的是哪一個丫鬟吧。

「住在這個房間裡的姊姊啊。」小風指著紫珊跟儀萱住的房間，天真的說。

「哦，是救你的儀萱姐姐嗎？」原來是儀萱，只是，儀萱什麼時候教小風踢毽子了？

「不是儀萱姐姐，」小風大力搖頭，「是住在這裡的姊姊，她天天教我踢毽子。」

「她叫什麼名字？」紫珊好奇的問。她這一整天跟府上的許多人講過話，從來沒有人提到吳老闆還有一個女兒。

「我不知道，我就是叫她姊姊。」小風說。

「姊姊對你好不好？」紫珊問。

「好啊，姊姊每天都笑嘻嘻的，爹爹罵她也笑嘻嘻的，不會像其他大人那樣愛生氣。」小風說。

聽起來真有這個人存在，不是小風幻想的人物。

「那個姊姊，現在還住家裡嗎？」紫珊又問。

「姊姊住家裡的時候，我天天找她玩，現在她不在了，就沒人陪我玩兒了。」小風嘟著嘴說。

「她什麼時候離開家的？她成親了嗎？」紫珊又問，心中猜想也許是她出嫁了？又好像不是，連岳母來幾天這種事吳老闆都說了，自己的女兒為什麼反而沒提到？

「什麼是成親？」小風問。

「誰成親了？」

紫珊回頭看，荷花捧著一個托盤，上面有些小點心，還有一壺茶。

「我要吃桂花糕。」小風看到點心，興奮的放下毽子。

「來我房裡坐坐如何？」紫珊對荷花發出邀請，想問關於「姊姊」的事。

「好啊。」荷花說。

來到房裡，紫珊請兩人坐下，小風肚子餓，迫不及待的吃起點心。

紫珊先跟荷花閒話家常，荷花個子小小的，長相清秀，說起話來語音急促，臉上表情和肢體動作都很豐富，紫珊覺得她是很有活力的女子。

荷花講了一些小風的事，再度謝謝紫珊他們把小風從壞人手上救回來。

「路見不平而已。」紫珊看著荷花直接問，「小風說他有個姊姊陪他玩，怎麼不見她人？」

荷花的表情瞬間僵掉，她看了小風一眼，小風抬頭看著娘親微笑，問道：「娘，姊姊去哪了？」

荷花哄著他說：「小風你拿毽子去院子玩，我跟紫珊姐姐講一下話。只能待在院子喔，不要跑到屋外去。」

「是，娘。」小風這次倒是很聽話，拿起毽子走出房門。

荷花在房門口張望一下，小心的關上門，在紫珊的對面坐下。

「小風說的姊姊，是明珠姐的女兒，閨名芸芸。」荷花壓低聲音，「知道的人不多，府裡上上下下都被下了封口令，不能說出去，也不能私下議論。」

「為什麼？」紫珊問。

「芸芸腦子有問題，患瘋之人啊！」荷花誇張的指指腦袋，「人清醒的時候，整天咧著嘴笑，發作時卻大聲罵人，有時候還會咬人，丟東西。逸富覺得這樣的女兒很丟人，畢竟他可是當地有名望的商人，怎麼可以有瘋病女兒？所以把她鎖在這個房間裡，不讓人知道。」荷花說。

紫珊看看四周，原來這裡以前就是芸芸的房間。

「她現在人呢？」紫珊忍不住又問。

「有一天，芸芸跟小風在玩，她對小風一向都好，那天卻不知道為什麼，忽然拿起一塊大石頭，對著小風砸下去，小風當場倒下，我看到時他滿頭是血啊！」荷花摀著心口，餘悸猶存的說，「我嚇得快昏過去了！逸富請大夫來家裡時，他說是小風玩耍時不小心跌倒，完全沒提到芸芸。但是這件事之後，他覺得不能把芸芸留在家裡，小風是他的獨生子，有什麼差錯還得了？所以他暗中讓人把芸芸送走，當家裡從來沒有這個人。」

「這是多久前的事？」紫珊覺得這家人對待芸芸的方式實在很過分。那個吳老闆，表面做人誠懇老實，沒想到對待自己親生女兒竟如此狠心。

「一個月前吧。」荷花想了想說。

那是在曾姬壺不見之前的事。紫珊想著，看來這兩件事沒有關連。

「她被送去了哪裡？」紫珊好奇的問，古代會有療養院這樣的地方嗎？

「這我就不知道了。」荷花神情神祕。

「娘！我要上茅房。」小風這時衝了進來。

「忍著點，娘帶你去。」荷花立刻起身，「紫珊姑娘，我先去忙了。」說完便帶著小風匆匆離開。

紫珊坐在房裡，把這天問到的事情在腦海整理一遍。

4

宗元跟亞靖請阿貴幫他們遞帖子給城北雷家，說想登門拜訪，阿貴回來後說，雷家很歡迎他們過去，約了明天晚上宴客。

「那我們今天去問一下那個祝由師，看她認不認識燐師。」宗元建議。

亞靖點點頭。

兩人來到祝由科，此時大門深鎖，不知道是不是昨天祝由師耗費太多精力，所以今天休息不營業？

「明天再來？」亞靖問。

「先敲門，看看她在不在。」宗元說完正要舉起手時，門就咿呀一聲打開，可是門後卻沒有人。

「你們兩個進來吧！」一個幽微的聲音在他們的耳邊響起，是那個祝由師的聲音沒錯，聽起來感覺有些遙遠，又像是迴繞在耳邊。

兩人對望一眼，覺得挺神祕的。不過這個祝由師昨天治好了小彥，應該不是壞人，所以舉步往內走去。

他們來到前廳，上次來看到的五張椅子不在了，地上排滿約半寸高的蠟燭，亞靖快速瞄過，數了一下，大約有四十多根。

祝由師坐在前廳另一頭的地上，這些蠟燭散列在他們跟她之間。

「你知道我們要來？」宗元問。

祝由師搖搖頭，「我咒術沒那麼強，但是我可以知道站在門外的是你們。」

「那你知道我們為什麼來找你？」宗元又問。

「不知道，不過你們這時候過來，就是注定要幫我的。」祝由師說。她臉上陰陽怪氣，說話也十分不客氣。

不等兩人有反應，她繼續說道：「昨天幫那個小孩施咒，我耗損太多精氣，現在要來補氣，」她頓了頓，指著前面的燭火，「我需要點燃全部的蠟燭，但是我現在的氣力一次只能點一根。我必須一次點燃七七四十九根蠟燭，這樣我的精氣才可以在四十九個時辰後復原。」

「你怎麼知道我們會幫你？」宗元說。

「你們來這裡，不就是對我有所求嗎？」祝由師眼神陰鬱的看他們一眼，言下之意就是他們不幫她的話，她也不幫。

宗元看向亞靖，亞靖微微點頭表示同意。她昨天為救孩子施咒，弄得元氣大傷，幫她也是應該的。

「我們要怎麼幫你？」亞靖問。

「對啊，我們不會祝由術。」宗元說。

「你們可以抵抗那孩子身上的邪氣，代表內力強大。我會施咒，然後你們用內力幫我把咒術引到蠟燭上。過來這裡。」祝由師命令他們。

宗元和亞靖小心繞過蠟燭，來到她的身旁。

祝由師從口袋裡拿出兩張黃紙，這兩張紙大約巴掌大，方方正正的，像是摺紙鶴的色紙。

她把一張紙拿到宗元的面前，手一放，黃紙居然就懸在半空中。她用同樣的方式，把另一張紙也懸在亞靖的面前。

「我會點燃咒火，你們再幫我把火送到蠟燭上。」祝由師說。

這次她拿出一張比較小的方紙，嘴裡唸了一些咒語，然後對著紙吹一口氣，紙上便燃起一球黃火。

她對著黃火再次吹氣，火球一分為二，向著兩人前面的兩張黃紙飛去，火球一碰到黃紙便燒了起來，不過這次化成好幾十個小火焰在空中繞轉。祝由師口中又唸了一組不同的咒語，火焰四下散開，但是她無法把它們全部送到蠟燭上。

宗元跟亞靖知道她力量不足，此刻便是需要他們幫忙的時候，於是兩人同時呼吸運氣，力貫右手，掌心送出法力，對著小火焰推出。

本來以為要操縱小火焰不會很難，只用上兩成力，沒想到這些小火焰沒有想像中容易掌握，在空中飄忽不定，像是一般人想要抓住一堆亂飛的螢火蟲那樣。他們不敢小看，再度加強法力，祝由師也在一旁飛快唸咒語，幾十個小火焰慢慢順著法力的方向飛出去，一一落在蠟燭上，四十九根蠟燭都點燃了。

滿地黃光閃爍，讓亞靖想起在美國時，媽媽曾經帶他去過一座公園，那裡綠草如茵，烈日下，每片細長的草尖迎著光，好像著火一樣，現在這些蠟燭上的火焰讓他有同樣的聯想。

祝由師臉上露出笑容，閉起眼睛，張開嘴巴，四十九個火焰升起四十九道黃煙，裊裊煙霧慢慢朝著她的嘴巴送去。

「我們有問題想問你，你……」亞靖的話還沒說完，祝由師嫌惡的轉過頭，打斷他。

「等七七四十九個時辰後再說。」

宗元對祝由師的態度很不高興，嘴裡唸著詩人張籍〈廢居行〉的其中一句

「曲牆空屋多旋風」。只見一股風起，宗元兩手一轉，微風變成小龍捲風，在這個空曠的屋子裡繞轉，四十九道黃煙受到干擾，不再同一方向朝著祝由師而去，而是滿屋子亂竄。

祝由師滿肚子怒氣，但是她此時沒能力阻止，乾瞪著眼。

「有話快說！但我現在精氣不足，別想從我這邊得到什麼好處。」祝由師惡狠狠的說。

亞靖不理會她的態度，「我們只是想問你，認不認識一個祝由師叫燐師？」

祝由師的臉色一變，顯得更加陰鬱，「你們問他做什麼？」

「看來你認識他，他也在這裡幫人看病嗎？」宗元問，持續催動法力讓旋風在屋內繞轉。

祝由師知道自己不回答，宗元就不會讓她好好修習，咬著牙說：「他是我師弟，我們本來一起跟師父修習，幾年前發生嚴重齟齬，從此不再往來。」

「他最近在城裡出現，你知道這件事嗎？」宗元看著她問。

「你們為什麼要問起他？你們遇到他了？發生什麼事？」祝由師問。

宗元沒有解釋，這牽扯到吳家不想對外公布的祕密，他沒有權利多說。

「燐師是個什麼樣的人？」亞靖問。

祝由師臉色一陣變化，乍現的鄙視、一閃而過的溫柔、剎那的悲傷，還有壓抑許久的憤怒。她看著飄在空中的黃煙，安靜好一會才說：「劉燐師弟是個善良的人，老實的人，勇敢的人，真誠的人。我們跟著師父一起修習祝由術，從咒語、符術、攝心術……但我們各有所長，我的咒術偏醫病治身，他的咒術重攝心凝氣。」

她頓了頓往下說：「師父常告誡我們，要善用所學造福百姓，他曾特別囑咐師弟：『劉燐，你雖為師弟，但是你比余襄年長，要好好照顧她，兩人同心，萬事必成。』師父的話，我謹記在心，不敢違背。後來我們訂了親，論及婚嫁，本以為從此可以同心協力，沒想到劉燐竟背叛我，違背師父教誨，罪該萬死！所以我跟他恩斷義絕，從此再無關係！」

宗元和亞靖本來只想打聽燐師的為人，看他跟曾姬壺被盜是否有關，沒想到這個名叫余襄的祝由師講出一段糾結的過往，雖然不了解詳細情況，但是看來兩人明顯有嫌隙。

「好了，可以讓我修習了嗎？」余襄的臉色轉回陰鬱木然。

宗元點點頭，他手一轉收回旋風，四十九道黃煙朝著余襄而去。她閉起眼，張開嘴，黃煙進入她的體內。

宗元和亞靖看她專心修習，不好打擾，便悄悄離開。

＊＊＊

這天晚上，五個人又聚集在女生的房間裡，分享各自問來的消息。

「原來這個房間以前是吳老闆女兒住的。」儀萱看看四周。

「是啊，她叫芸芸。」紫珊說。

「以前的人對精神疾病不了解，覺得家人患病是件丟臉的事，讓這些人受到很不人道的對待。」曄廷嘆口氣說。

「也不知道芸芸被送到哪裡？」宗元說。

「要去查一下嗎？」亞靖問。

「我看跟曾姬壺不見無關，先不要在上面浪費時間。」曄廷說。

「今天一整天下來，好像沒有什麼進度。」儀萱抱怨。

「聽起來每個人在曾姬壺不見的那段時間都不在現場，不過從他們的話中，我得知一個奇怪的現象，有幾個在府裡的人說，那時天色忽然暗了下來，但是又馬上恢復正常。」紫珊說。

「吳老夫人也有說到這件事。」儀萱說。

「這有什麼好奇怪的，天氣變化多端啊。」宗元不以為然的說。

「但是，我問在屋外賣字畫的阿貴，他說整天天色晴朗，沒有變陰啊。」紫珊說。

「會不會是他記錯了？我也不可能將某天的天氣記得一清二楚。」宗元說。

「我覺得不會。府裡的人都記得此事，可見事發突然才會有印象，阿貴在外面做事，應該也會看到的。阿貴幫吳家做生意精明能幹，很會看人臉色，不是粗枝大葉、糊裡糊塗，記不清楚事情的人。」紫珊分析著說。

「就算是，那又代表什麼？」宗元問。

「我也不知道，只是在猜想兩件事會不會有關連？又是有什麼關連？」紫珊聳聳肩說。

「至少可以說阿貴不是偷壺的人吧？」曄廷說。

「我也覺得不是。」儀萱附和，「別忘了，他是拿鑰匙打開庫房，發現東西不見的人，旁邊還有燐師作證。」

「他還是不能完全排除嫌疑。」紫珊說。

「那個燐師你們打聽得怎麼樣？」曄廷問宗元和亞靖。

「聽起來是會劈腿的渣男。不過根據余襄的說法，他的祝由術有一定的程度，吳老闆也說他幫曾姬壺改運，應該是真有一手。」宗元說。

「什麼改運啦。」儀萱白他一眼。

「你覺得燐師是偷壺賊嗎？」亞靖看著紫珊問。

「我的態度是，東西沒找到前，誰都有可能。」紫珊說。亞靖點點頭。

「我覺得有可能。如果他的祝由術那麼厲害，說不定用什麼奇怪力量把壺拿走。」儀萱說。

「動機呢？」紫珊說，「有能力拿走，不代表有動機。我們五人都有法力，難道要因為這樣說我們就有嫌疑？如果燐師貪圖兩尊壺的價值，為什麼要等一尊壺被賣出後才偷另一尊？兩尊壺一起偷價值不是更高嗎？」

其他四人覺得紫珊說的有幾分道理。

「不過我也還沒有去除他的嫌疑。」她又補充一句。

「那到底是誰？動機是什麼？」儀萱歪著頭問。

「古董這東西，價格高昂吸引人想收藏，也因此容易牽扯上利益衝突，吳老闆跟他後娘同住一個屋簷下，可是他後娘好像對他繼承家業有所不滿，有沒有可能吳老夫人就是幕後主使人？」宗元說。

「我跟儀萱和她聊過之後，都覺得不可能。」曄廷搖搖頭說。

「你是誰都不可能是嫌疑犯，然後紫珊是誰都有可能，你們兩個也太極端了吧！」宗元翻個白眼。大家都笑了。

「還有時間，一定可以查出真相的。」紫珊的口氣很有信心。

5

第三天，亞靖跟宗元去雷家赴約。

他們出了吳家，先向東走一段距離，再拐往北走，這一帶都是大宅院，亞靖想起在美國時去過位在豪宅區的朋友家，這裡大概就是古時候的豪宅區了。

畫裡沒有GPS，路都是問出來的。在一些熱情的路人的指引下，他們來到一個宏偉的紅色大門前，上面一塊匾額寫著大大的「雷府」。

他們上前叩門，馬上有人應門，領著他們進去。

雷府跟吳家古董的宅第比起來更大，也更富麗堂皇，從琉璃屋瓦、亭臺樓榭、多角攢尖亭、花草扶疏、假山池塘，處處可見這家主人的氣派富裕。

「亞靖、宗元，你們來了。」雷東明迎了上來，他穿著青色常服，點綴黑領黑邊，更襯得他的臉白皙乾淨，一副平時沒有勞動的公子哥模樣。

「謝謝雷少爺的邀請。」宗元說。

「應該的，你們救了小兒，這兩天翠娥不時提起，我也是萬分感激。」雷東明說。

「好漂亮的宅子。」宗元看看四周。

聽到稱讚，雷東明臉色得意起來，「我們雷家的財富在城裡數一數二，你們看，這宅子臨著江水，視野多好。還有，」他指著院子另一角，「從這裡可以看到洋樓，天氣好的時候，還可以看到洋人們出來晒太陽呢！」

亞靖在美國生活多年，一點也不覺得看到洋人晒太陽有什麼了不起，不過他還是應付的點點頭。宗元則是趁雷東明沒看到的時候翻白眼。

雷東明帶他們進屋，一路炫耀著他的財富，哪塊石頭是浙江運上來的，哪棵松樹是泰山運過來的，哪張桌子是宋朝大官的傳家寶，還有凳子、屋裡的柱子、牆上掛的皮毛都大有來歷。

「餓了吧？來，我們直接入席。」雷東明親切的笑說。

兩人此時聞到食物的香味，在雷東明帶領下來到另一個房間，看到桌上滿滿的食物，僕人還一直上菜，本來還沒感覺到餓，現在腸胃馬上加速蠕動。

此時翠娥出現，她看到兩人，表情非常開心。

「你們來了，請坐。沒什麼好菜，快趁熱吃。」翠娥很客氣，等他們坐下才入座。

「小彥呢？他還好嗎？」亞靖問。

「他剛剛睡下了，託兩位小哥的福，他回來後就都沒事了。那天真是嚇死我了，好好的人忽然臉色蒼白，中了邪祟，連大夫都放棄醫治。」翠娥深吸一口氣，餘悸猶存，「還好有你們。雖然萍水相逢，卻是小彥的大恩人，也是雷家的大恩人啊！」

「這沒有什麼啦。」宗元有些不好意思。

「快吃快吃，」雷東明熱情的招呼著，「這雞是今天剛宰的，還有這火腿，可是足足祕製兩年，還有這個魚啊，是昨兒太湖撈上來，令人快馬送來的……」

雷東明對著食物也是不忘炫耀，不過兩人都不介意，大口享受起來。

四人閒聊了幾句，雷東明問：「你們真的在幫吳老闆找另一尊曾姬壺？」

「是啊。」宗元回答。

「有沒有找到什麼線索？」雷東明咬了一塊雞腿問。

「還沒有。」宗元說。

「我看是難喔。」雷東明嘖嘖的說，口氣有點幸災樂禍。

「吳老闆先給你一尊壺帶回家，跟你說另一尊壺還在修整，過些時候再去拿。你是怎麼發現其實壺已經不見了？」宗元問。

「是……我一時想不起來，」雷東明皺起眉頭回想，「翠娥，好像是你跟我說的？」

「是，是我跟你說的，我怕你花了大錢，卻被人坑。」翠娥點點頭說。

「那你是怎麼知道的？」宗元轉頭看著她。

「是草兒告訴我的。」翠娥說。

「誰是草兒？」亞靖問。

「是我的丫鬟。」

「可不可請她來一下？」

「好，我讓人叫她過來。」翠娥站起身去安排。

「你們為什麼對這件事有興趣？這跟找壺有什麼關係？」雷東明問。

「現在還不知道，偵查不公開。」宗元用神祕的語氣說，其實他也不知道有什麼關連，是亞靖跟紫珊說要查的。

雷東明聽不懂什麼「真茶不公開」，不過還是點點頭表示懂他的意思。

一個年輕女孩走了進來，翠娥跟她說：「草兒，這兩位小哥想問你話。」

「是。」草兒說。

這個丫鬟眼睛細細的，鼻子小小的，笑起來帶著可愛的憨樣。

「你跟主子說，吳家古董店的曾姬壺不見了。這事你怎麼會知道？」宗元問。

草兒的臉上閃過一絲紅暈，低聲的說：「是……是阿貴跟我說的。」

「原來是阿貴。」宗元跟亞靖悄悄交換一個眼神。

草兒察覺到不對，「這是個祕密嗎？阿貴會不會有麻煩？哎呀，我真多嘴。」

「沒事沒事！對了，他有跟你說，不要說出去嗎？」宗元問。

草兒不安的看著他，「沒有啊，阿貴就是跟我發牢騷，說最近古董店事情多，然後講到曾姬壺不見的事情。他沒說那是祕密啊，阿貴會不會有事？」

草兒看起來很關心阿貴。

「嗯，你不要太擔心。」宗元含含糊糊的說。

「阿貴盡忠職守，很老實，他不會去偷古董的。」草兒口氣有點焦急的說。

宗元又問了幾個問題，確定草兒在壺失竊的當天一整天都在雷家，雷家夫妻也都有看到她，在確定她沒有偷壺的嫌疑之後就讓她離開。

「我們可以去看另一尊曾姬壺嗎？」亞靖問。

雷東明皺起眉頭，「你們確定要看？這東西帶著邪氣，要不是跟你們約定好，五天後拿回去換錢，我早想把它送出家門。」

「東明，你說咱家小彥中邪，會不會就是因為這壺在我們家啊？」翠娥臉上閃過一陣恐懼，「你快叫人把它弄走！」

「我們的師父有教我們一些驅邪的心法，所以我們不怕，說不定可以幫你們去除壺上的邪氣喔。」宗元有模有樣的說。

翠娥見識過他們幫忙祝由師，救了小彥，對於兩人的能力深信不疑，猛點著頭說：「東明，你快帶他們去看看。」

「好吧。」雷東明抹嘴擦手站了起來，領著兩人往後院走。

越往後走，稀奇古怪的值錢物品越少，雷少爺也懶得炫耀，他們最後來到一個用來堆放凌亂雜物的院子，一張吊著蜘蛛網、少了一條腿的椅子旁，有一尊半個人高的大銅壺。

「你們慢慢看，我先回前廳了。」雷東明好像看到鬼那樣，一溜煙的跑走了。

兩人仔細看著曾姬壺。這個壺上端有個平蓋，蓋子上每邊都有一個垂直豎立，像是被上下拉長的S型鈕，這四個鈕把整個壺身的視覺效果拉長。壺口比較狹小，壺身瘦長，廣腹，下面有圈足。壺身兩旁各有一隻爬獸型的壺耳，爬獸的頭以一百八十度轉向後背，造型生動。

「這上面的紋路好特別啊，歪歪扭扭的。」宗元小心的撫摸著。

「這個叫蟠虺紋。」亞靖說。

「那是什麼意思？」宗元問。

「蟠虺紋是一種裝飾紋，外表是有明顯頭部的彎曲小蛇。」亞靖說，「還有一種叫蟠螭紋，那個是指沒有角的纏繞小龍。」

「哇，你好厲害喔！知道這些奇怪的名稱。」宗元對他豎起大拇指。

亞靖微微一笑，「我祖先留下來的『七乳透光鏡』讓我對青銅器上的那些凹凸紋路感興趣，後來我在故宮看到一件戰國時期的『蟠虺乳丁紋鼎』，就稍微研究了一下，原來這些紋路都有名稱，也才知道蟠虺紋是什麼東西。」

亞靖說完也用手去摸一下那些紋路，這時，一個古怪的感覺傳到他的指尖上。他覺得每根手指都輪流被刺了一下，好像有人拿針戳了他的指尖，但這感覺來得快，去得也快。

「怎麼了？」宗元注意到亞靖臉色的改變。

亞靖偏一下頭，「我感到這壺裡有個奇怪的力量，我一碰到指尖便刺刺麻麻的。」

「真的嗎？」宗元好奇的又去碰一次，好一會後說：「沒有啊。」

亞靖再去摸曾姬壺，這次他運氣施法，緩慢小心的把自己的法力送進壺中，跟裡面的力量呼應。

「怎樣？」宗元口氣謹慎，表情專注，同時運氣全身，以防亞靖遇到什麼可怕的力量可以馬上支援。

「感覺好奇怪……好像這尊壺在找另一尊壺。」亞靖說。

「是這壺給你的訊息？」宗元問。

亞靖點點頭。

「但不是說，把這兩件東西放在一起，會招來厄運嗎？」宗元說。

亞靖想了想，「放在一起會有厄運，說的是給人帶來的厄運，沒有說壺本身會有厄運啊，如果壺有知覺，說不定它們就是喜歡待在一起，給人惹麻煩。」

「哈，你的形容很好笑，」宗元說，「不過有點道理，這樣一來，說不定這尊壺可以幫助我們找到另一尊壺。」

亞靖輕點一下頭，把注意力又放回到壺上，兩個手掌撫摸著蟠虺紋。

「我告訴它，我的法力可以跟它的力量連結，幫助它找到另一尊壺。」

「它說什麼？有沒有提供什麼線索？」宗元期待的問。

「這是壺，不是算命師……啊！」亞靖忽然一聲驚呼鬆開手。

亞靖的雙手手掌上出現一堆紋路，像是有人在他手上刺青那般，這些紋路跟壺面上的蟠虺紋居然一模一樣。

「怎麼會這樣？」宗元說，「會痛嗎？」

亞靖搖搖頭，就在這時候，手上清晰明顯的紋路慢慢淡去，沒多久後整個不見了。

「你有覺得什麼不同嗎？」宗元上上下下檢查亞靖，「呼吸運氣一下，看看有沒有哪裡不舒服。」

「都沒有。」亞靖依言呼吸運氣，再度搖頭。

「真是怪事。」宗元嘟囔一聲。

「應該沒事。」亞靖聳聳肩說。

「那就好，」宗元不太確定的看著他，「我看我們差不多要回去了。」

亞靖點點頭，再看一下雙手手掌，完全沒有奇異或不舒服的現象。兩人回到前廳向雷家人告別，走回吳家古董。

＊＊＊

當天晚上，五個人又聚在一起討論。

「我們白天再去了一趟祝由科，」宗元放了一顆糖葫蘆在嘴裡，同時說：「那個叫余襄的祝由師還在認真修習，沒再說出什麼消息。」

「那就不要去打擾人家了。」儀萱說，「你每次講她的名字我都想成香香的魚。」

「你不要那麼愛吃好不好！」宗元白了她一眼。

「雷家那邊呢？」紫珊關心的問。

宗元又吞下另一顆糖葫蘆，才把吃飯的經過講出來，其他三人都轉頭看向亞靖的手。亞靖覺得有點彆扭，遲疑了一下，但還是把手打開，手掌向上。

「所以那些潘飛紋就不見了？」儀萱抓著他的手，前後不停翻看著。

「是蟠虺紋啦！」宗元很得意自己懂得比較多，「你乾脆叫它『胖飛蚊』算了。」

紫珊搶在儀萱回嘴之前又問：「亞靖，你覺得那些紋路出現在你手裡是什麼意思？」

「我感覺這兩尊壺希望可以在一起，當我在心裡跟它說，我跟朋友們在尋找另一尊壺時，接著我手上就出現蟠虺紋。雖然很快便消失，但是我猜，這應該會對我們找壺有幫助。」亞靖說。

「這些紋路會不會是地圖啊？」儀萱問。

「有可能。」曄廷說，「我看過一本小說，上面寫到主角千辛萬苦拿到尋寶圖，卻只是一張白紙，有人就提議要用火燒才能顯現。我們要不要試試看？」

「喂！你們不會想要燒我的手吧？」亞靖看著桌上的油燈火焰閃閃，猛然搖頭。

「我也聽過用水浸。」宗元說。亞靖瞪他一眼。

「我的法力與火相連，我可以試試看，又不至於弄傷你，你信不信我？」紫珊語氣誠懇，眼神溫柔。

亞靖知道他們五人的法力都來自五行，同時每個人又擅長其中一種力量，紫珊駕馭火的能力最強。

亞靖點點頭。

紫珊手輕碰胸口的玉石，喚出朱雀，朱雀在屋裡盤旋飛了一圈，然後停在亞靖面前的空中俯看。亞靖伸出雙手，手掌向上。

紫珊手輕揮，朱雀口中噴出星火，星火落在亞靖的手掌心，變成一團火焰，不過亞靖臉色如常，沒有疼痛的表情。

火焰在他的掌心停留了一會，紫珊撤回火焰，大家湊上去看，他的手掌並沒有顯現任何圖樣。

「那我用水試試看。」曄廷說。亞靖點點頭。

曄廷呼吸運氣，手臂繞轉，右手食指對著亞靖的手掌點去，他的兩個手掌馬上蓄滿晶瑩的水，但是水滴都不會滴落，大家看著亞靖的手，還是沒有任何紋路或地圖。

曄廷手一揮，水馬上蒸發不見，亞靖的手恢復原狀。

「看來水火都沒用。」紫珊口氣有點遺憾。

「我想等時機到了，就會知道了。」亞靖說。其他人都點頭。

「那你們三個人今天有沒有什麼收穫？」宗元問。

「今天我私下去找吳老闆，稍微聊了一下。」紫珊說，「我覺得很奇怪，他拿了雷家買壺的錢，怎麼那麼快就用掉，拿不出錢來還人家。」

「他做什麼投資被套牢了？」宗元問。

「我旁敲側擊問了阿貴，他說他家老爺這半年沒有做其他生意，近期也沒買進什麼貴重古董，所以我去找了吳老闆聊一下，結果他支支吾吾，沒有正面回答。我看他的表情，好像有什麼難處。」紫珊說。

「所以就算我們幫他找到壺，他也要在很快的時間內找到另外一個買家，才會有錢還雷東明。」儀萱說，口氣並不樂觀。

曄廷看著他們說：「我想，我知道那筆錢去哪了。」

「去哪？」紫珊挑起眉頭。

「今天小風來找紫珊玩，紫珊不在，由儀萱陪著他，我則趁機去找吳逸飛，想打聽看看有沒有更多的消息。我經過老夫人的房門前，聽到她跟吳逸飛對話，本來不想偷聽的，可是我聽到老夫人說了句『雷家的那筆錢……』，所以我就待在門外聽他們在講什麼。」

「他們說了什麼？」每個人的好奇心都被勾起來。

「我聽到吳逸飛說：『娘，我看哥這幾天真的很傷神，壺找不回來，他整天魂不守舍……』吳老夫人口氣不好的打斷他，『哼，活該！霸占家業，卻連一尊曾姬壺也顧不來，你不用可憐他。』

「『至少我們將那筆錢還給哥，讓他可以還給雷家人。壺之後可以慢慢找。』吳逸飛說。

「『你這人怎麼胳膊往外彎啊？這筆錢我死了還不是給你？再說，這錢是你哥給的，又不是我去偷去搶的！他做生意遇到問題，就自己解決啊。想要當家，哼，沒那麼簡單。』老夫人氣呼呼的說。

「這時我聽到阿貴走過來的腳步聲，不想讓他知道我偷聽，所以就沒再聽下去了。」

儀萱眼睛一亮，「所以對照紫珊跟你的線索，這個吳老闆因為某個原因主動把雷東明買曾姬壺的鉅款給後娘，但是聽起來似乎不是心甘情願的。」

「雖然不是心甘情願，但是卻又不肯說出來讓我們幫忙。」紫珊補充。

「會不會就是老夫人偷的壺？」亞靖問。

「聽起來不像，」曄廷說，「她雖然想看吳老闆出糗，但是這麼大一尊壺，她應該搬不動。」

「她可以找另一個兒子幫忙啊！」宗元撇撇嘴說。

「吳逸飛當時不在城裡啊。」曄廷說。

「不管怎樣，她把錢扣著，不讓吳老闆解決這件事，也真是夠無情了。」亞靖說。

「對了，你們提到阿貴讓我想起一件事，雷東明之所以知道另一尊壺不見的事，就是阿貴講出去的。」宗元把先前在雷家探聽到的消息敘述一遍。

「他為什麼要把這件事說出去？」紫珊半自言自語的說。

「聽起來像是他跟草兒兩個人互相愛慕，所以情侶間講些私密的話也是有可能的。」儀萱說，「應該就是聊天時不經意說到的吧？」

「是啊。草兒講起阿貴，又是臉紅，又是擔心，一直說他人老實，盡忠職守，壺不會是他偷的。」宗元說。

「如果人老實又對老闆忠心，就不會把曾姬壺不見這種事隨便講出去才對。」紫珊說。

「哎呀，就是一個大嘴巴的伙計，不用想太多。」宗元無所謂的說。

「好啦，天也晚了，你們幾個臭男生快回房去，我們要睡了。」儀萱打個呵欠，揮手趕人。

「明天要怎麼分配工作？」曄廷問。

「再多問問四周的人，任何小細節都不要放過。」紫珊說。

6

第四天，這天五個人都在吳宅附近走動，一有機會就跟人聊天，看看能不能再問出什麼蛛絲馬跡。

曄廷去了城門一趟，確定吳逸飛真的三天前的早上才回城，在那之前都在外地。

儀萱帶著小風去逛街，也順便跟鄰里聊天，附近的人都說吳老爺為人樂善好施，做生意誠懇實在，名聲不錯。

紫珊再去跟阿貴閒聊，她問阿貴知不知道是誰把曾姬壺失竊的事傳出去，阿貴說他不知道，紫珊聽了也只是點點頭沒有說破。

宗元再度去了趟祝由科，余襄面前的蠟燭熄了超過一半。她說她每過一個時辰，精力就會恢復一分，同時蠟燭也會熄滅一支，等她大功告成，蠟燭就會全部熄掉。

亞靖去到雷家，要求再看一眼曾姬壺，他像前一天一樣，用手摸了摸壺，這次，他感到跟壺的連結又更強了，壺告訴他，當他接近另一尊壺的時候，手上的紋路就會再次出現。

晚上五人又聚集在女生的房間，分享這一天收集到的情報。

「太好了亞靖，那你明天應該到處走走，我跟你一起。」紫珊說。

「我也要跟你們一起。」儀萱也嚷著。

「這方法太大海撈針了！而且這裡很大，明天一天走不完的啦！」宗元說。

「除了要找到失蹤的壺，如果也能從吳老闆的後娘那裡把錢拿回來，那就更好了。」紫珊說，「我想老夫人很固執，不容易聽勸，所以我今天去找了吳逸飛。我沒說自己知道錢在哪，但是在跟他聊天的過程中，覺得他為人正派，心中對哥哥掌管家中財產沒有怨懟。我告訴他吳老闆為了錢的事有多操心，我想他也明白這件事，只是一邊是哥哥，一邊是親娘，一下子很難下決定。」

「我覺得你們女生心思細膩，比較能讓吳逸飛卸下心防，或許你們明天再多勸勸他，說不定他可以說動他娘把錢拿出來。」曄廷說，「我跟宗元就陪亞靖在〈清明上河圖〉裡找壺。」

「今天大家都早點睡，明天早點起床，亞靖能去多少地方就去多少地方。這樣安排你可以嗎？」紫珊看著亞靖。

「好。」亞靖說。

7

今天是調查曾姬壺的第五天，亞靖醒來時，天已經大亮了，天氣晴朗。說好一早去各處看看的，沒想到大家都起晚了。他看看雙手手掌，一樣沒什麼動靜，但這在他意料之中。明天雷東明就會拿曾姬壺過來，他們能不能率先找到另一尊壺，幫吳老闆把錢拿回來？

宗元跟曄廷還在睡，他先簡單梳洗一下，打開窗子，讓早晨的陽光射進屋，沒想到，忽然間整個天色暗了下來，不過不到十秒鐘，天色又回到原本明亮的模樣，他還沒來得及想發生什麼事，手心傳來一陣細微刺麻的感覺。他再度低頭看向手掌，忍不住驚呼一聲。

他的手上竟然浮現曾姬壺的蟠虺紋！他感到心臟用力撞著肋骨，這代表另一尊壺出現了，而且是他可以感應到的地方，一定就在這宅子內！

「宗元、曄廷，快起來！」亞靖搖著他們的肩膀。

曄廷很快坐起來，神情戒備。宗元翻過身，過一會才揉揉眼睛，勉強打開眼瞼。

「你們看我的手，蟠虺紋出現了。」亞靖低聲說。

這下連宗元也睡意全無，兩人睜大眼睛，看著亞靖的手掌。

他的手掌上布滿細且彎曲的淺灰色紋路。

「我們哪都沒去，現在卻出現訊息……」宗元看著亞靖，「所以這尊壺一直在吳家？」

「我覺得不是。今天早上跟昨天晚上都沒有看到紋路，剛剛才忽然出現，我認為，這尊壺是今天早上才回到這宅子。」亞靖說。

「偷壺賊把壺送回來？」曄廷皺起眉頭。

「還等什麼？我們去找，說不定還可以抓到賊。」宗元說，一骨碌爬下床。

三人先到隔壁房間找儀萱跟紫珊，兩個女生早就起床了，看到亞靖的手掌也都很振奮。

「你們有看到天色忽然變暗嗎？」亞靖問。

「有。」兩個女生異口同聲的說。

「這跟先前吳老夫人和宅子裡的人說詞一樣，壺不見的那段時間，他們都看到天色暗了一會，只有阿貴人在外面沒有看到。本來以為是不相干的兩件事，看來是有關連的。」紫珊說。

「我猜，偷壺跟還壺的人應該是同一人，他會使用什麼奇怪的方法，人不用出現，就可以做到偷壺還壺。」亞靖說。

「是那個燐師嗎？」宗元問。

「不知道。我們先去找壺，看看它在哪。」儀萱說。

他們先在院子四處張望，沒有人跡，也沒有壺蹤，於是再往前廳的方向走，猜想偷壺賊會不會把壺放到櫃子上，這時亞靖注意到一件事。

「手上的紋路變淡了。」亞靖驚訝的說。

「怎麼會這樣？壺又不見了？」儀萱問。

亞靖想了一下，一邊看著手，一邊走回院子的方向。

「我猜得沒錯。」亞靖說。

「什麼意思？」紫珊問。

「我住在美國的時候曾跟朋友們玩過一個尋寶遊戲。設計謎題的人把寶物藏在某個地方，其他人去尋找時，如果越遠離藏匿寶物的地點，出題者就會說『cold, cold』；反之，如果越靠近，就會喊『hot, hot』。」亞靖指著自己的手掌，「這些紋路就像是出題者。如果離壺越遠，顏色就越淡；如果走往壺的方向，紋路顏色就越深、越明顯。」

「那你帶路。」紫珊說。

亞靖點點頭，看著手心，往另一個方向走去。

他們經過西邊的廂房，這裡的房間是僕人住的地方，空氣不流通，光線不好，空間狹小，不過亞靖手上的紋路顏色沒有加深，這附近也看不到生人面孔。

他們繼續四處走，經過正房、老夫人的房間、荷花的房間、吳逸飛的房間、庫房、灶房……都顯示位置不對。

「那間褐色房門的屋子是阿貴的房間。」紫珊指著前方。

亞靖向前走兩步，看著手上的紋路，紋路顏色加深了些。

大家跟在亞靖後面，越靠近褐色房門，蟠虺紋的灰色紋路越深，等他們來到門前，亞靖兩個掌心爬滿將近黑色的紋路。

五人面面相覷，看來，曾姬壺在阿貴的房裡。

「現在怎麼辦？」儀萱放低音量用氣音問。其他人運起法力都可以聽見。

「平常阿貴都很早起，忙東忙西的，你們不覺得奇怪，今天到現在還沒看到他？」紫珊看著大家，也用氣音說。

「因為他一早就出門去把壺拿回來？」宗元說。

「他不會什麼特別的力量啊。」儀萱提醒宗元。

「直接進去問他比較快。」曄廷說。

「要不要去找吳老闆過來一起進去？」儀萱問。

「不好，萬一壺沒在裡面呢？我們等於誣陷他。還是先進去，看看情況如何再說。」紫珊說。

大家都同意她的顧慮。

紫珊深呼吸，伸手敲敲門。

「誰啊？啊，已經日上三竿了，我今兒居然睡這麼晚。」阿貴嘟囔著，聽起來是被他們吵醒的。

「是我，紫珊，請開門。」紫珊回應。

「原來是紫珊姑娘，來了。」阿貴很快來到門邊，打開了門。「欸，你們都來了。」

阿貴明顯剛睡醒，一邊打呵欠，一邊揉眼睛，沒有注意五個人的臉色凝重。

因為他們從打開的房門看進去，在阿貴的身後，屋子角落的地板上有一尊半人高的銅壺。

曄廷、紫珊、儀萱三人看向宗元跟亞靖，兩人點點頭，證實那是另外一尊曾姬壺。

「阿貴啊，你怎麼還在睡？」伴隨一陣急促的腳步聲，吳老闆也來到房門外，「你們也來找阿貴啊，怎麼都站在外面？」

吳老闆看到五人有些驚訝，他並沒有注意到房間裡的曾姬壺。

「我今天睡晚了，還好他們來叫我，進來進來。」阿貴側身讓大家進到房間裡。

五個人快速看了對方一眼，心裡有了默契，輕輕點頭。

紫珊轉向吳老闆說：「我們找到另一尊不見的曾姬壺了。」

「在哪？」吳老闆問。

紫珊指著房間的角落，此時，吳老闆跟阿貴都看到了。

「找到了！找到了！」吳老闆衝上去，激動的抱著壺。

「咦，它怎麼會在這？」阿貴抓著頭，一臉疑問，這時他才發現每個人都看著他。

「是啊，這曾姬壺不是不見了嗎？怎麼會在你房裡？」吳老闆看著他，冷冷的問。

「這個……」阿貴整個人愣住，臉色一變。

「老爺！壺不是我偷的！我真的不知道為什麼會出現在我房裡！老爺，你要相信我，你要相信我啊！這肯定是有人陷害我的……老爺！」阿貴跪了下去，一直磕頭。

「今天早上有人到過你房間嗎？」紫珊問。

「早上？沒有……我不知道啊，我一直在睡覺，直到剛才你們把我吵醒。」阿貴想到什麼似的，瘋狂喊著：「我平常早起，今天卻睡過頭，一定是有人陷害我，給我下藥！一定是這樣！」

「那你覺得誰會陷害你？」宗元問。

「還有誰會陷害你？庫房鑰匙在你身上，就是你監守自盜，然後藏到房裡的。來人啊，把這個家賊趕出去！」吳老闆氣得臉色發紅，全身發抖！

兩個僕役匆匆過來，一人拉著阿貴的一隻手。

「我知道誰會陷害我。一定是老夫人！是老夫人！」阿貴掙扎著大喊。

「等等，」吳老闆制止僕役，示意他們鬆手，「你說老夫人？是老夫人要你去偷壺的？」

「不，不，我沒有偷壺！是老夫人栽贓我的！」阿貴喊著。

「她為什麼要栽贓你？說！」吳老闆眼睛瞪得大大的，眉毛因為憤怒而顫抖著。

「老夫人她……」阿貴的話還沒說完就被打斷。

「我怎麼了？有丫鬟跟我說，這裡有人鬧事。」吳老夫人環視在場所有人，態度威嚴。

「娘，曾姬壺在阿貴的房間找到了。」吳老闆說，他仔細的觀察吳老夫人臉上的神情。

「老夫人！你知道東西不是我偷的！你要幫我作證啊！」阿貴奔過去，跪在老夫人面前，拉著她的手喊。

「你胡說什麼！偷了東西還想賴帳！」吳老夫人臉色大變，甩開阿貴的手，「把他拖出去，往後不准再踏入吳家半步！」

兩名僕役又過來，一人拉住阿貴一邊的肩膀，用力把他向外拖。

「不，不！老闆，你聽我說、你聽我說……」阿貴掙扎著。

「讓他說。」吳老闆皺起眉頭。

「這賊人的話，無須理會！」吳老夫人揮揮手，像是驅趕一隻蒼蠅一樣的輕蔑。

紫珊看這群人吵吵鬧鬧，推推拉拉，實在弄不清楚發生什麼事，她將手舉起來順順頭髮，但同時輕輕揮動，施了一道法力。

兩個僕役鬆開了手，後退一步，吳老闆和老夫人跟著安靜下來，阿貴也不再掙扎。

「阿貴，你為什麼說老夫人栽贓你？」紫珊問。吳老夫人似乎想說些什麼，可是嘴巴張開卻說不出話。

曄廷、儀萱、宗元、亞靖都知道發生什麼事，在心裡偷笑。

阿貴瞪著老夫人，說道：「曾姬壺不見，老爺下令府裡上下對此事保密，是老夫人指使我把消息洩漏給雷家的。」

吳老夫人臉色發青，氣憤的指著阿貴，可是嘴裡說不出話。吳老闆的臉色也沒好看到哪去。

先前宗元跟亞靖已經查到是阿貴洩密，只是沒想到跟吳老夫人有關。

「她為什麼要你告訴雷家？」紫珊問。

「老夫人她……」阿貴看了老夫人一眼，「要我告訴雷家壺不見的事，把事情鬧大，讓老爺難做人。」

眾人一聽面面相覷。

「不只這樣，」阿貴一臉豁出去的表情，「她還要我去雷家偷另一尊壺回來，然後對外說是老爺指使我做的。老夫人希望老爺身敗名裂。不過我不答應，不想對不起老爺，老夫人便威脅我，會讓我在吳家無法立足，然後遺失的壺今天就出現在我房裡，一定是老夫人搞的鬼，要栽贓給我，讓我被老爺趕出去。」

紫珊手指輕輕一彈，把法力撤去，「吳老夫人，吳老闆，我看你們有話想說？」

「你這吃裡扒外的傢伙……」吳老夫人發現可以開口，馬上破口大罵，「你不要講得你有多忠誠，不然的話，我給了你一筆錢要你去告訴雷家壺不見的消息，怎麼不見你拒絕？你不肯去偷另一尊壺，更不是良心發現，只不過是因為你貪心，獅子大開口，想要我給更多的錢，而我不肯。結果現在倒好，原來你就是偷壺賊，還想反咬我一口！」

吳老闆臉色鐵青，沒有說話。

「你的錢？」阿貴也不甘示弱，「那些錢根本不是你的！是你利用老爺的弱點勒索來的，結果現在老爺沒有錢還給雷家，我看不過去，所以才想替老爺討回公道！」

「討回公道？說的比唱的好聽。」吳老夫人輕蔑的哼一聲，「不要以為我不知道你那點心思，你得到錢後會拿給逸富？笑死人了！其實你一直想要攢錢自立門戶，你覺得自己的能力比逸富強，根本不甘願替他工作，現在還偷了店裡的東西，欺上瞞下！」

「這壺不是我偷的！」阿貴漲紅著臉，「分明是你偷的，又想栽贓給我！」

「哼，我一個老人家根本搬不動這壺，而且東西是在你房裡找到的……」吳老夫人的話還沒說完，又有人進來房間，是吳逸飛。

「發生什麼事？」他皺著眉頭看一屋子的人。

紫珊把壺在阿貴房間出現的事，還有阿貴跟吳老夫人的對話轉述給他聽。

吳逸飛的方臉上神色凝重，他看著吳老夫人，走過去拉著她的手說：「娘，你把錢還給哥哥吧！何必惹麻煩呢？」

吳老夫人臉色一陣青一陣白，瞪著兒子，「我還不是為了你！」

「你為什麼要拿吳老闆的錢？」儀萱問。

「我一手將他從小養大，拿一點錢也是天經地義。」吳老夫人口氣強硬的說。

「唉……」吳老闆重重嘆一口長氣，「我來說吧！除了小風，其實我還有一個女兒，芸芸。她是我的大女兒，出生時活潑可愛，可是沒多久，我跟她娘就發現她腦子有問題，整天傻笑著，長到五歲才會說話，說的話也不清不楚，有時還會沒道理的亂打人。

「我們吳家在當地名聲顯赫，絕不能有瘋癲子女，我丟不起這個臉。為了不讓鄰里知道這件事，我把芸芸關在家裡，哪也不讓去。可是吳家不能無後，所以我後來娶了荷花進門，她也爭氣的給我生了小風。有一天，芸芸忽然無故攻擊小風，我真是嚇壞了，小風是我的命根子，不能有半點差錯啊！所以隔天我就命人把芸芸送走。」

「你把芸芸送到哪？」紫珊問。

吳老闆一臉羞愧痛苦，「我叫人把她帶到郊外的山上去，讓她、讓她……自生自滅。」

五個人聽了都非常不忍，怎麼有父親這麼無情？為了自己的名利，讓親生女兒挨餓受凍，面對山上的豺狼虎豹，強盜土匪？芸芸現在恐怕已經不在人間了。

「這件事只有自家人知道，沒想到，娘卻落井下石，要我給她一大筆錢，不然就要把我做的醜事說出去。我才知道，原來拉拔我長大、待我如親生兒子的娘，其實不滿我爹把古董店傳給我。她隱忍許久，一直找機會為難我，只是她一個婦道人家，不懂做生意，所以趁著芸芸的事威脅我。

「剛好這時候，我賣出了曾姬壺，加上一些積蓄，讓我有錢給她，也算還了她養育我的恩情。我相信依自己的能力，早晚可以將這些錢再賺回來。只是沒想到，其中一尊壺不見了，雷家人又知道這件事，嚷著要我退錢，所有的事一起發生，弄得我焦頭爛額，現在壺找到了，可是這個家……」吳老闆沒說完的話大家都知道，這裡每個人都有祕密，有自私的一面，丟失的壺雖然找到了，但是感情都變了。

吳逸飛輕嘆一口氣，「娘，我在洛陽的生意越做越好，再過一陣子，我可以在那裡買個大宅子，您如果在這裡待得不快活，到時候可以來跟我住。您把跟哥哥拿的那筆錢還給他吧！」

吳老夫人聽了兒子的話，內心一熱，眼眶一紅，她深呼吸一口氣說：「好，我會把錢還他，老爺沒留家產給我們，可是留給我一個好兒子。」

吳逸飛微微一笑，拍拍娘親的肩膀。

「我們走吧。壺既然找回來，就沒我們的事了。」吳老夫人轉身走向屋外，吳逸飛扶著她的手一起離開。

吳老闆看著兩人的背影百感交集，他揮揮手，讓兩名僕役離開，接著看向阿貴。但在阿貴開口前，亞靖搶先說話。

「這壺的確不是阿貴偷的。」亞靖說。這句話讓所有人都看著他，他把雙手張開給大家看，「這一對壺彼此連結，昨天我去雷家，用手碰到另一尊壺時，它在我手裡留下這些紋路，只要我接近丟失的壺，紋路就會出現。昨天到今天一早，我的手上都沒有紋路，直到剛才進來之前，紋路才又出現，而阿貴說他今天早上都在睡覺，所以這尊壺是被人搬到阿貴的房間的。」

「謝謝亞靖兄弟，」阿貴激動的說，「我真的不知道為什麼這壺會在這，真的不是我偷的。」

「那是誰偷的？」吳老闆問。

「這就不知道了。但是我可以確定，不是阿貴偷的。」亞靖說。

「偷壺還壺的人有特殊力量，我們猜可能是燐師。」儀萱說。

「那個祝由師？他為什麼要這麼做？」吳老闆疑惑的問。

「可能要找到他才能問出答案。」曄廷說。

「我不知道去哪裡找他，當初是他自己來找我的。」吳老闆搖搖頭說，「或許他拿走壺後良心不安，才又送回來。現在壺找回來就好，其他的事之後再說吧。」

「老爺，你打算怎麼處置我？」阿貴口氣中有滿滿的不安和羞愧。

「我相信你沒有偷壺，不過你居然為了錢違背我的意思，太讓我失望了。」吳老闆頓了頓，低聲說道，「唉，話又說回來，誰能無過？我也是滿身罪孽。我把芸芸這樣送出去，如今她……可能成一堆白骨了，真是後悔萬分啊！」

「老爺，還有一件事我想……不、不知道你……」阿貴支支吾吾的。

「什麼？你還有什麼事瞞我？」吳老闆眼光銳利的看著他。

「其實這不是我第一次違背您的意思。」阿貴低著頭說，「您要我把芸芸小姐帶到山上時，我並沒有遵照您的指令，我……不忍心，我在山上找到一個道庵，把身上的錢都留給裡面的道姑，請她們收留芸芸小姐，每隔一段時間我都會去偷偷看望她。」

「你是說……芸芸沒死？」吳老闆瞪大眼睛，神情激動。

「芸芸小姐很好。」阿貴臉上帶著微笑，「道姑們教她打坐，呼吸運氣。她精神很好，心情也很平穩，經常會問起家人。」

吳老闆頓時滿臉淚水，嗚咽著哭了起來，「芸芸，爹對不住你，爹對不住你，嗚……」

「我知道我沒有資格過問您的決定，不過，我想……我們把小姐接回來好不好？」阿貴鼓起勇氣問。

「好！當然好！我一直很內疚。你去接她回來。不、不，我們去接她回來，明珠一定會很開心，希望她們會原諒我啊！」吳老闆用手抹著淚水。

「那這尊曾姬壺怎麼辦？」阿貴問。

吳老闆鎮定心情，思量了一會後說：「你把它拿去庫房鎖起來，等雷少爺歸還另一尊壺後，我想讓人將這對壺放回楚王墓裡，這件事我會交給信任的人去辦。」

他看著阿貴，頓了頓又說：「阿貴，你要確保這兩尊壺回到原來的墓中。」

「我？真的嗎？謝謝老爺，謝謝老爺……」阿貴忍不住眼眶也紅了，「會的會的，我會把您交代的事辦好的。」

吳老闆拍拍他的肩膀，兩人對看一眼，微微一笑。

「我現在就把它拿去庫房。」阿貴說。他小心翼翼的把曾姬壺抱了起來，像是想到什麼又停下腳步問：「如果真的是那個燐師搞的鬼，他可以要偷就偷，那我再放回去，不也是不安全？」

亞靖看著手上的紋路，想了想後說：「我來。」

他走到壺前，把手放在壺身上，只見壺上閃過一陣奇異亮光，又接著消失。

「我施了個法術，如果有歹人或什麼特別力量靠近，這尊壺會像剛才那樣發光，並且會推擋掉那股力量。」亞靖說。

「我們五個……師兄妹跟著師父習武學法，多少會一些法力，對付那個祝由師綽綽有餘，你們放心。」宗元說。他發現跟古代人描述法力比跟現代人解釋容易多了。

「太好了，原來五位小俠深藏不露，在下感激不盡啊！」吳老闆對他們抱拳。

「那你們忙，我們先回房了。」紫珊說。

8

時間已近正午，五個人回到女生的房間，發現桌上擺滿了食物，看來是荷花貼心，幫他們準備了午餐。

他們一早起床就開始找壺，現在的確餓了，坐在桌前享受著美味的餐點。

「太好了，我們真的找到壺了。」儀萱雙手合十，開心的說。

「紫珊施幾個小法，讓他們不吵不鬧，這招高喔！」宗元豎起大拇指。

「你也不差啊。我有感覺到，你是不是唸了『家和萬事興』之類的詩句，讓他們心平氣和？」紫珊笑著問。

「不是。我覺得當時大家情緒激動，都覺得自己是對的，別人不講理，溝通當然卡住。所以我唸了『行到水窮處，坐看雲起時』，講的是人遇到逆境時，還能放下得失，保持平常心，看來有點用。」宗元咧著嘴開心的說。

「很有用！」曄廷豎起大拇指。

「亞靖順利找到曾姬壺，才是大功臣。」儀萱說。

亞靖抓抓頭，有點不好意思。

「好像只有我跟儀萱沒幫到什麼忙。」曄廷說。

「你帶我們進〈清明上河圖〉，還有儀萱的巫術讓我們可以在這裡待這麼多天，怎麼能說沒幫到忙？」紫珊笑著白了他一眼，「而且這幾天你們也問到很多消息啊。」

「那我們現在要回去了嗎？」儀萱問，不過口氣有點依依不捨，「我想看兩尊曾姬壺相會在一起。」

「我想，吳老闆好客，應該不在意我們多待一天。」曄廷說。

「而且吳家還需要亞靖的法力，讓壺不再被偷走。好人做到底，我們就待到明天，確定都沒事再走。」宗元說。

紫珊跟亞靖都點頭同意。

這天五人在城裡到處閒逛，吃了好多沒吃過的東西，也看到很多現代城市看不到的街景樣貌，像是路邊的戲臺，曄廷告訴他們，這是《三國演義》中「貂蟬獻美人計」的故事。戲臺後面還有一支迎親隊伍，熱熱鬧鬧的，很開心的過了一天。

第二天，他們沒有出門，怕錯過雷少爺上門。小風最開心了，鬧著要每個哥哥姐姐陪他踢毽子，玩鬼抓人。

阿貴一直進進出出，檢查庫房裡的曾姬壺還在不在，還好都沒問題，安穩的擺在架子上。一直到中午，僕役才來通報雷少爺來訪。他們來到前廳，吳老闆跟阿貴都在。

「我依照約定帶曾姬壺來了，吳老闆，你籌到錢了嗎？」雷東明開門見山的說。他揮一揮手，兩名男子把一個箱子放到大廳正中央，他們把箱子打開，一尊曾姬壺就在裡面。

「有。」吳老闆對阿貴搖搖手，也拿出一個箱子，「你點一下，這裡有六萬兩現銀。」

雷東明盤點一下，開心的笑了笑，「好，沒錯。我們就一手交錢，一手交貨。」

兩邊的僕役交換了箱子。

「吳老闆，買賣不成仁義在，你爽快退錢，我很感激，以後還是會來光顧的。」雷東明說。

「多謝雷少爺，做生意就是講誠信，錢可以再賺，人品不可以丟。」吳老闆說。

「是啊是啊，吳老闆做人做事，遠近馳名啊。」

兩人講了一會客套話，雷東明才問道：「後來那個曾姬壺有找到嗎？」

「是的。現在在庫房裡。」吳老闆說。

「真的？所以是誰偷的？怎麼找回來的？」雷東明滿臉好奇的問。

「這個……細節我就不方便說了，東西回來就好。」吳老闆指著紫珊五人，「是這些小俠幫忙找到的，他們有俠義心腸，還有深藏不露的能耐，真是多虧他們了。」

「原來如此。」雷東明若有所思的看著五人，「所以吳老闆找到另一個買主，有錢還我了？」

「這事就不勞雷少爺費心。」吳老闆沒有正面回答，「曾姬壺的去向，我自有安排。」

「好。那我也不久留，家裡出了點事，我要趕回去處理。」雷東明臉上顯現焦躁的神色，吩咐兩個手下：「把錢拿到轎子上。」

兩個手下離開後，雷東明走向大門，像是想到什麼又轉回頭說：「五位小俠，可否借一步說話？」

五人對看一眼，不知道雷東明想說什麼，不過還是點點頭，跟著他來到屋外。屋外一棵大樹下，有一頂裝飾富貴精緻的轎子，一看就是來自有錢人家，剛才兩名手下和轎夫在一旁等待。

雷少爺把他們拉到樹下，「我想問，你們是怎麼找到曾姬壺的？」

大家都沒說話，紫珊清清喉嚨，堅定禮貌的說：「這是吳家的事，我們不方便多說。」

雷少爺一拍大腿，說：「對，就是這樣，我就是想找像你們這樣不會洩漏祕密的人。」

他們看著雷東明，實在不知道他在搞什麼鬼。看五個人沒反應，雷東明繼續說下去，「我想請你們幫忙找人，若辦成一定會有重賞的。」

「找人的事應該是要報官府吧？」儀萱說。

雷東明不知道是故意忽略她口氣中的不以為然，還是假裝沒聽出來，繼續說：「哎呀，官府裡都是養些廢物！一個小妾不見，他們不會在意的。」

「你該不會強擄民女，虐待小妾，所以人家才逃跑的吧？」宗元不屑的說。

其他人也皺起眉頭。

「我？不是不是，你想到哪去了。」雷東明猛搖手，「是我的叔叔。雖是妾室，但也是明媒正娶，昨日雷家可是風風光光把鄭馨從城外迎娶進門。」

「是昨天的事？」紫珊問。每個人都想到昨天在街上看到的迎親隊伍。

「才一天人就不見了？」儀萱撇撇嘴。

「不是的。哎呀，我不能一直站在這講話，錢要快點送回去才安全，你們先隨我回去再說吧。」雷東明說完就鑽進了豪華的轎子，「你們到了後我再告訴你們原委。我先走了，等會見。」

五人站在原地不可置信的看著轎夫抬起轎子，匆匆離去。

「他以為他是誰啊？叫我們去就去？莫名其妙。」儀萱翻個大白眼。

「對啊，我看那個小妾八成是被逼婚，所以才會逃跑。我才不要幫著雷東明，讓她回來受折磨咧。」宗元說。

「所以我們不去雷家嘍？」曄廷問。大家都搖搖頭，顯示沒有興趣。

「我想看兩尊曾姬壺會合。」亞靖說。其他人也覺得這件事有趣多了，五人便返身回吳家。

他們一進門，就看到兩尊曾姬壺並排站在架上。兩尊壺高度相同，同樣在蓋上有四個鈕，壺身有蟠虺紋，五人為它們的美發出一聲讚嘆。

「我可以摸一下嗎？」亞靖問。

「請。」吳老闆點點頭。

亞靖兩手分開按在兩尊壺上，過了一會才鬆開。

「你感覺到什麼嗎？」儀萱問。吳老闆也好奇看著他。

「我感覺到這兩尊壺之間，有一種平和的氣在流通。」亞靖說，指著其中一尊，「我在這尊壺上，感到一個特別的力量，跟那個叫余襄的祝由師很接近，很可能就是來自那個燐師。」

「看來，那個燐師很可疑，到底他為什麼要偷這個壺？為什麼又送回來？」紫珊問。

「他如果看到兩尊壺在一起，這次會不會一起偷走？」宗元問。

「那我再對兩尊壺施法，跟昨天一樣，一般人碰到沒事，但是如果有歹人或特別力量靠近，壺便會發出光，並且推擋掉那個力量。」亞靖說。

「謝謝小俠相助。」吳老闆臉上露出笑容，拱拱手說，「我跟阿貴明天會出門一趟，先去找賣兩尊壺給我的人，問出楚國的墓地，好把壺送回去。然後我跟阿貴會去找芸芸。你們如果想要繼續多待幾天不用客氣，荷花會好好招待你們的。」

吳老闆似乎不想再跟曾姬壺有牽扯，也不想去研究燐師的動機，只想把女兒找回來，好好過日子。

「還有，這裡有一些銀兩，」吳老闆讓阿貴拿一個小箱子出來，「一點酬勞，請笑納。謝謝你們這幾天的奔走。」

五人很驚訝，不過他們沒有推辭，這幾天也花了不少錢。

「謝謝吳老闆。」紫珊大方說。

「阿貴，這裡就先交給你，把曾姬壺裝好，要出遠門，我得先去處理其他的事。」吳老闆說完拍拍阿貴的肩膀就先離開了。

阿貴並沒有馬上裝箱，而是看著他們問：「剛才雷少爺找你們做什麼？」

「他要我們幫他找人。」儀萱說。

「找鄭馨對吧？」阿貴說，「我昨晚聽說了。」

大家都猜到，一定是草兒說的。

「你們要去幫他嗎？」阿貴問。

「還沒決定，應該不會。」紫珊說。

「你聽到什麼消息？」宗元好奇的問。

「我知道的也不多。聽說，喜轎到雷家時，鄭馨還在轎子裡，可是她的丫鬟掀起轎簾時，裡面卻沒有人，只有陪嫁的一個紫檀多寶格在轎椅上。據說那多寶格是鄭馨的寶貝，她不會無緣無故留下來，一定是遭到什麼不測。」阿貴轉述聽到的消息。

「你說鄭馨在轎子裡，可是丫鬟又說轎子裡沒人，這是為什麼？」曄廷問。

「這我就不知道了，」阿貴一攤手，「我只知道這些。說實話，我覺得那個多寶格比較有意思。」

「那個多寶格很值錢？」宗元問。

「那個多寶格是鄭老爺的爹傳下來的，聽說作工精細，別具巧思。一個小小的盒子裡可以藏三十件珍玩哪！草兒知道我對這事兒有興致，特地說給我聽的。」阿貴咧嘴一笑，「好啦，我去給曾姬壺裝箱，明天要走了。」

「我們也差不多要離開了，謝謝你們的招待。」紫珊說。

「謝謝你們幫我洗刷冤屈。」阿貴說，他激動的跟每一個人握手。

五人也去跟其他的吳家人道別，小風一聽他們要走最是失望，他很喜歡跟這些哥哥姐姐們玩。五人答應小風有機會會再來找他，小風才破涕為笑。

古物的身世——

戰國早期　曾姬壺

文／國立故宮博物院研究人員　張莅

在本書故事中，吳老闆賣給雷少爺的千年古董——曾姬壺，是真實存在於國立故宮博物院的珍貴文物，作者透過吳老闆之口訴說的銅壺歷史背景，也都是目前大致可信的研究認識。

雖然買賣風波的情節是虛構的，不過這對青銅壺的來歷，實際上卻真的曾經為私人藏家所有，並且經過傳斯年等人的談判商議，最終進入博物館典藏，而這段往事同時也是故宮的重要院史，藉此機會，讓我們一起了解曾姬壺的流傳過程，以及它們所承載的歷史意義。

埋藏於地底的曾姬壺重現人間

時間回到一九三三年夏天，據傳在安徽壽縣朱家集的一座楚王墓，出土了大量的古器物，隨後流散各地，經統計，總數至少有八百多件，其中就包括了兩件一對的曾姬壺。

這對製作於戰國早期的青銅壺，連蓋通高約七十八公分，器身兩側的回首小獸，攀附於器壁，立體生動，相當吸睛。氣勢不凡的兩件曾姬壺，出土後，為當時著名的收藏家劉體智擁有。

劉體智（1879-1962）是安徽廬江人，晚號善齋老人，歷任公私銀行要職，活躍於清末民初的上海金融圈。劉氏小時候曾經在李鴻章家中學習，對金石之學有濃厚興趣。在財富背景支持下，致力於甲骨和青銅器等古文物的蒐羅。甚至還將他的青銅器藏品分類整理，編輯出版成《善齋吉金錄》（1934-1935），共有二十八冊，收錄器物一千五百多件。劉氏剛入手不久的曾姬壺，就出現在這套書的第四冊，以線描圖繪的方式，記錄了壺的外形樣貌。

傅斯年的青銅器願望清單

就在劉體智沉浸於豐富的古物收藏，《善齋吉金錄》成書後不久，隨著中日關係緊張，社會局勢動盪，收藏家們迫於無奈將古物珍寶變現，身處其中的劉體智也陸續將古物轉手，而出價購買方，遍及美國、日本等地。

當時憂心古物流散的有識之士，如任教於燕京大學的容庚，除了將自己的藏品賣給中央博物院，也向傅斯年提出建議，購買劉體智所藏的青銅器。大家熟悉的傅斯年，是一九四八年時，擔任國立臺灣大學校長。在此之前的一九三〇年代，則任中央研究院歷史語言研究所所長及中央博物院籌備處委員。傅斯年對於購藏劉體智的青銅器，給予大力支持和推進。

經過數次的來回協商，一九三六年，中央博物院完成了與劉體智的青銅器交易，總數為一百零七件。現在根據史語所留存的檔案，可以看見在當時劉體智提供的器物價目表上，留有傅斯年的註記筆跡，一至三個的圓圈數量，分別代表「可有可無」「應有」

「必有」。而在曾姬壺名稱的旁邊，我們可以看到被連打三個圈，可見當時傅斯年也認同這對銅壺的重要性，並且勢在必得。

後來曾姬壺與這批青銅器，在一九四八年，跟著中央博物院和傅斯年的腳步，一起來到臺灣。一九六五年，中央博物院與國立故宮博物院合併，文物們的旅途結束，至今安全的保存在故宮。

戰國早期 曾姬壺

金文：鑄在青銅器上的古文字

大家可能很好奇，傅斯年為什麼慧眼獨具，認為曾姬壺值得三個圈呢？其實在這樁中央博物院與劉體智的交易當中，挑選的重要條件是「字多的」，意思就是要買鑄有古文字的青銅器，而且字數多的為首選。

商周時期鑄造的青銅器，與世界上其他地區的青銅器製品，最大的不同，也是最大的特色，就是器物上鑄有文字。青銅器鑄製完成時，為金黃色，因此鑄寫在上面的文字，除了可稱作「銘文」，又稱「金文」。商周青銅器的年代，距今約為兩千多年至三千年，因此器物上的漢字，為古文字形體，比起現在使用的漢字，已經線條化和筆畫化，金文形體仍呈現較多的象形結構。

戰國早期　曾姬壺器口內壁銘文

鑄在青銅器上的古文字，最少的只有一個字，目前可見在單件青銅器上，鑄有最多字數的，就是典藏在國立故宮博物院的國寶——毛公鼎，在鼎的內壁上，可見排列整齊的滿滿文字，總計有五百字，內容記錄了毛公協助周宣王處理國家政事，反映西周晚期的歷史。

鑄在青銅器上的這些文字，因為具有歷史價值，所以大概從宋代開始，文人士子熱衷於解讀和考證，並且積極收集青銅器。傅斯年、容庚等人，學識涵養深厚，自然對帶有金文的青銅器特別重視。兩件一對的曾姬壺，全器造型典雅莊重，器蓋

西周晚期　毛公鼎

西周晚期　毛公鼎

和器身基本完整無缺。更重要的是，在器口內壁上，有著五行三十九字的銘文，以現代字體對應作：「唯王廿又六年，聖趄之夫人曾姬無卹，虐安茲漾陵，蒿閒之無嗎，用作宗彝障壺，後嗣用之，職在王室。」內容記載楚宣王二十六年，楚聲王的夫人曾姬過世了。後人安排了一處美好的葬地之所、陰間之宅，並且為她製作了宗廟祭器，祈求後世子孫福澤常在，繼續為王室效勞。

根據曾姬壺的銘文線索，可以知道這對青銅壺的製作背景，是戰國時期的楚人，替一位過世的楚王夫人所鑄，而這位夫人的名字是「曾姬」，也就表示她是來自姬姓曾國的女子。春秋戰國時，各國頻繁的透過婚姻交流，鞏固彼此關係，以獲取政治利益。與楚國鄰近的曾國，為了在漢江流域立足，將一位很有可能是公主的女子嫁給了楚聲王。不過當時楚國面臨各種危機，婚後沒多久，楚聲王就被殺了，所以這位曾姬直到去世，度過了一段漫長的寡婦生活。

青銅器上的銘文，除了可以與文獻互相比對印證，還可能提供未知的歷史材料，因此成為珍貴的歷史文物。曾國在傳世典籍中，幾乎不見記載，曾姬壺於一九三三年重見天日時，是世人第一次看到出土的曾國青銅器。傅斯年在勾選購藏清單時，將曾姬壺畫上三個圈，也就可以理解了。

西周晚期
頌壺銘文中的壺字

（商代甲骨文）
《殷墟文字乙編》裡的壺字

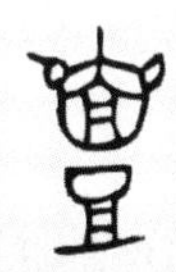

春秋中期
薛侯壺銘文中的壺字

資料來源：小學堂字型演變

奇幻華麗的裝酒容器：東周青銅壺的造型與紋飾

曾姬壺除了鑄有重要的文字，它的外型和裝飾圖案，同時也是戰國時期青銅壺的重要標誌，是具有楚文化風格的代表性器物。青銅壺的流行時間跨度大，從商代至戰國時期，皆可以見到它的蹤影。「壺」字的金文，基本上就是壺的象形，最上面的左右橫劃代表器蓋，中間的圈圈是器口，以及往橫發展的寬廣器腹，最下面縮進來的短豎劃則是圈足的象形。

壺是用來裝酒的容器，所以需要口小腹深的設計，既可增加容量，又可避免美酒溢灑。西周時期的青銅壺較為典雅莊重，例如來自曾姬娘家，可能是曾國先祖器物的曾伯陭壺，有著蓮瓣形的器蓋，左右兩側的壺耳造型是獸首銜環，壺身以連續的波曲環帶紋裝飾。到了東周，青銅壺則出現許多奇特的創意造型，例如將瓠瓜和鳥首、鷹首融入器形，使得整體風格趨向活潑，對比曾姬壺以方體呈現，可見是以莊重追遠的心情，來為曾姬製作祭器。

戰國　鷹嘴提梁壺

戰國　鳥首瓠形壺

西周晚期　曾伯陭壺

第三部

紫檀多寶格方匣

1

一日前……

鄭馨看著鏡子裡的自己，時間已過正午，婉兒幫她上好了妝，把她尖尖的下巴修飾得圓潤。娘曾經說她下巴太尖了，是福薄的面相，以後會嫁不出去。可現在她正準備出嫁呢！鄭馨微微一笑。

身上這件嫁衣是小依做的，林家成衣店不大，但是小依人好，有耐性，作工又細，她喜歡小依縫製的衣服，就是跟別人不一樣。這次嫁衣她堅持要小依親手縫製，小依感情細膩敏感，知道她要出嫁，居然哭得比娘還傷心。

婉兒小心翼翼的梳順她的黑長髮。桌旁有一小盆熱水，裡面已經泡著一片刨下的榆木片，熱度讓榆木片滲出一種黃褐色黏液，叫做刨花水，女子們用它來固定髮絲。

婉兒拿著榆木片，沾著濃稠的刨花水，細細的擦在她的頭髮上，浸潤到每一寸髮絲，然後把長長的黑髮塑形，盤在腦後。第一次盤時有點鬆散，鳳冠戴不上去，無妨，她不急，今天是大喜之日，每個細節都要妥妥貼貼的。第二次再盤，就非常完美。現在頭髮溼黏，但是等乾了後，頭髮會變得光亮滑順又挺硬牢固。鄭馨左看右看，非常滿意。

她戴上鳳冠，穿戴妥當，婉兒牽扶起她的手拜別爹娘。這些繁瑣的禮節，她耐心的一一完成，跟養育自己長大的爹娘從此不再相欠。

「上花轎。」清朗的聲音，七分帶著喜氣，兩分帶著豪氣，一分帶著催促。

鄭馨緩緩移步，一步一停，觀禮的鄰居親友為新娘捨不得離家的拖延感到欣慰，但鄭馨其實只是要確定每個人都看到她上轎子。

「我的多寶格呢？」鄭馨停下來，對婉兒伸出手。

「小姐，這交給抬妝轎夫就好，你不用親自捧著呀。」婉兒說。

「我要親自帶著。」鄭馨堅持的說，並不移動腳步。

「是。」婉兒無奈，把多寶格遞給小姐。

鄭馨得到滿意的回覆，拉起轎簾坐進去，喜轎的軟墊很舒服，可惜她坐不久。

她放下轎簾，與世隔絕，小小的空間讓她覺得安心。

身子一陣晃動，轎夫抬起轎子往前而去，迎親隊伍啟程了。

鄭馨捧著多寶格，注視著手中的木盒。

這是爺爺送給她的。爺爺有五個兒子，十一個孫子，卻只有她一個孫女，因此最寵她，跟她的感情最好，小時候天天帶她去河邊散步，去餑餑鋪子買她最愛吃的糕點。熱熱軟糯的米糕裡面有甜甜的紅豆，一次都要買五個。等她大一點，爺爺會帶她去吳家古董店一起看古物。

爺爺喜歡收集精巧的藝品，年輕時曾到處尋訪能工巧匠，一次在江南偶遇一位專門製作御用器物的工匠，那工匠用相同的材料打造了兩個一模一樣的多寶格，一個進獻到宮裡，另一個本來打算私藏，卻被鄭馨爺爺以高價購入。這個紫檀木做的多寶格呈扁方形，每邊都可以拉出一個扇型的小隔間，供人收藏小件珍品。盒子下面嵌著一個須彌座，這個座可以跟方形盒子分開，裡面也可以擺放小事物。

爺爺對這個多寶格愛不釋手，常常從各地收集各種珍品，收藏在這個多寶格裡。爺爺說，鄭家的家產土地以後都要分給男孩子，但是這個多寶格是要留給鄭馨的。鄭馨自小就特別愛跟爺爺尋找寶物，裡面有好幾樣東西都是她選的，爺爺也說她眼光好，兩人常常在爺爺午覺醒來時，一起細數玉馬、玉鹿、銅壺、象牙盒等有趣的東西。

收進多寶格的最後一件是爺爺選的小瓷瓶，淡藍的釉色，有著扁圓的瓶身，非常精緻可愛。他給了鄭馨這個小瓷瓶之後沒多久就離世了。鄭馨的叔伯爭著遺產，沒有人對多寶格有興趣。鄭馨含淚收起這件帶有祖孫記憶的盒子。

鄭馨撫著多寶格。爺爺，你也在看我出嫁嗎？

她把手放在多寶格上方，伸手打開上面的玉璧蓋子……

2

五人出了吳家，大家都有點依依不捨。

「我們先去成衣店，把衣服還給小依，也跟她道別。」曄廷說。大家點點頭。

他們來到成衣店，林老闆正在跟一個女客人說話，他們徵求同意後來到內屋，卻見小依坐在桌前哭泣。

「小依，發生什麼事了？」儀萱走上前關心。

「你們……來了。我、我的一個朋友，她……」說完，她又低著頭嗚嗚哭了起來。

「你的朋友？誰？他怎麼了？」儀萱問。

小依又哭了一陣子才慢慢說道：「她是城外鄭家的小姐。本來像我這種做衣服的人是高攀不上這樣的朋友的，但是，鄭小姐善良又漂亮，她喜歡我做的衣服，常常找我去幫她量身裁衣，有時還讓我留下來過夜，陪她聊天。我沒有其他姊妹，鄭小姐就像我的親姊姊一樣。上個月她說她要出嫁了，對方是雷家老爺，她指定要我幫她做嫁衣。結果卻……」

宗元忍不住打斷小依，「雷家？你說的鄭家小姐是叫鄭馨嗎？」

「是的，」小依的眼淚又冒了出來，「你們也聽說她的事了？」

「是啊。你先說下去。」儀萱瞪了宗元一眼，怪他打斷小依說話。

小依做了個深呼吸，繼續說：「小姐昨天出嫁，結果……我剛剛聽說，她不見了，怎麼會這樣？我好害怕啊！」

「小依，你先不要慌。我問你，鄭馨對於自己要嫁到雷家當小妾這件事的態度如何？她很抗拒，還是很開心？」儀萱拍拍小依的肩膀，從手上傳送一些法力，穩定她的心緒。

「她剛開始時悶悶不樂的，似乎不是很歡喜。我問她，要出嫁了，怎麼不開心？她說是她爹要她為鄭家著想，雷家有錢有勢，兩家聯姻，可以幫助鄭家日漸沒落的生意。可是她不想當小妾，而且聽說雷家老爺年紀大，脾氣也不好，她一點也不想嫁過去受苦，只是父命難違。」小依停了一下，吸吸鼻子，「不過後來她好像就想開了，不再愁眉苦臉。她說，日子若要過下去，總是有辦法的。我看她精神轉好，臉色紅潤，想來是接受了這門親事。雷家家大業大，還跟洋人做鄰居，就算雷老爺脾氣差了一點，忍一忍就過去了，女人嘛，不就求個溫飽，讓這一生不愁吃穿？」

小依的想法在她那個年代可能是很普通的事，但是對生活在現代的五人而言，很難認同這樣的價值觀。

「不能這樣講，女人不是為了有飯吃而嫁人的吧？」宗元最先發表意見，「她應該要去找彼此相愛，心靈契合的伴侶才對啊。而且自己的婚姻自己負責，幹麼要聽她爹的話，去當什麼小妾？這是親情綁架！」

「什麼？她真的被綁架了？」小依聽到綁架兩個字魂都飛了。

「我沒說她被綁架啦，我只是說她對婚姻要有自己的主張。」宗元振振有詞的說。

「什麼？」小依對他的話感到迷惑，這不是當時社會會聽到的話。

「現在不是講這個的時候！」儀萱瞪了一眼宗元，繼續追問：「所以，她後來開開心心出嫁了？」

「她出嫁那天，我一早就過去幫忙，幫她穿嫁衣，看著她上轎。新娘子不能笑，她臉色肅穆，卻也沒有傷心的樣子。」小依說。

「聽說她有一個多寶格，你有看到嗎？」曄廷問。

「有，那是她最心愛的多寶格，是她小時候她爺爺給她的。小姐說，那是她爺爺留給她唯一的紀念。」小依回憶，「多寶格裡有好多小寶貝，小姐曾拿出來給我看過，玉作的小狗、小鹿、小馬、小駱駝，還有硯臺、酒杯，每一件袖珍又精緻，美極了！」

「上轎子時，她有帶著多寶格嗎？」紫珊問。

「有啊，你怎麼知道？」小依有點驚訝，「當時她的丫鬟還問她要不要讓抬妝的人一起帶去雷家就好，可是小姐就是堅持要自己拿多寶格上轎。」

「你看那個多寶格，有什麼特別的地方？」宗元問。

「特別的地方？」小依想著，「那個多寶格做得可別緻了，在方形的盒蓋上有個玉璧，其實是一個蓋子，打開來，裡面還藏著一個藍色小瓷瓶呢！」

「那真的很特別，難怪鄭馨會喜歡。」宗元說。

「你們是畫仙的傳人，一定也有法力，可不可以幫我找小姐？」說到這裡，小依的眼睛又紅了，「她為什麼會不見？我好擔心啊！你們一定有辦法找人，可不可以幫我？」

本來五人決定還了衣服就要回去現實世界，不過看小依這樣著急，又覺得不忍心，大家對望一眼，有了默契。

「好，我們可以幫忙。」紫珊拍拍她的手。

「真的？太好了。你們可以住在這裡，想住多久都沒問題，只是我們家比較小，請別介意……」小依展開微笑的說。

「當然不會介意。我們兩個女生可以跟你擠一間房，男生去睡柴房。」儀萱說。宗元踢了她一下。

「雷家老爺叫什麼名字？是做什麼的？」紫珊問。

「雷進山。雷家是做生意的，從事各種買賣，家財萬貫。」小依說。

「那我們現在去雷家，打聽一下消息。」曄廷說。

「好。」四人異口同聲。

3

五人離開小依家，回到大街上。

「我跟亞靖去過雷家，我們帶路。」宗元說，另外三人跟著他們走。此時已經是下午，街上人來人往，他們朝著東方走去。

「你們覺得這件失蹤案怎樣？」紫珊問。

「我看八成是逃婚。」宗元說，「被安排當小妾，沒有人會心甘情願的啦。」

「可是小依的說法，鄭馨剛開始是不樂意，但是後來接受了，在她們的年代，女子接受爹娘安排自己的命運，是很普通的事。」曄廷說。

「而且，她那麼喜歡這個多寶格的話，如果是她自己選擇逃婚，應該會帶走，沒有理由出嫁時堅持帶在身邊，然後逃婚時又留下來。」紫珊說。

「所以你們覺得她是遇到綁匪？」宗元問。

「光天化日之下，什麼綁匪這麼厲害？」儀萱說。

「我們去問清楚到底怎麼回事。」紫珊說。

五人來到雷東明的宅子前。剛才他們在路上商量了一下，這麼突然跑去找雷進山，一定會被趕出來，既然雷東明請他們幫忙，不如先找雷東明。

他們叩門請人通報，果然，雷東明很快就出來。

「你們總算來了。」雷東明臉上帶著抱怨的神色，「走，我們去我叔叔家。」

他們實在不喜歡他的態度，不過為了小依，大家忍了下來，跟著他走。

雷進山的宅子就在拐彎處，建造得氣派宏偉，標準的財大氣粗。門房看見來人是雷東明，直接領他們進去。

他們經過一個偌大的院落，裡面假山水池、涼亭小橋、奇花異草，無處不精緻，五人好奇的四處張望。最後，一行人來到一個大廳，一進去，就聞到一股難聞的燒焦味，一個中年男子坐在大廳中央。那男子乾瘦如柴，臉上皮膚坑坑疤疤，蒼白的膚色，看起來像泡在水裡的衛生紙。他斜躺在椅子上，手中拿著一根長長的管子，上面有個圓圓的像是茶壺的東西，靠近他上身的地方擺著一方小桌，上面有燈和幾根細長的工具。男子靠著長管吸了一口煙。

五人都聽說過鴉片，雖然沒親眼看過，但是眼前的景象讓他們馬上知道這人在吸鴉片，難聞的臭味就是從這裡來的。他們默默的施法，確保自己身上不會沾上這些煙。

「二叔，他們就是我跟你提的朋友。不只小彥的命是他們救回來的，吳家古董的曾姬壺也是他們幫忙找回來的。別看他們年紀輕，可是各個武藝高強，深藏不露啊！」雷東明語氣誇張的說。

雷進山又吞吐一口，煙霧繚繞，瞇著眼睛看著他們，也不知道有沒有對到焦，他沙啞的說：「你是說他們會幫我把小美人找回來？太好了。」

聽了他的話，五人都皺起眉頭，他們的確答應小依要去找鄭馨，確定她的安危，但是真的要把一個好好的女孩找回來當這人的小妾？

「這門婚事，是你強迫她嫁過來的，還是你們兩情相悅，她答應嫁給你的？」宗元的口氣絕對與「好聲好氣」四個字有很遠的距離。

「你說什麼？」雷進山兩眼迷惘。

「當然是鄭家同意的，我們雷家不會逼婚！我叔叔娶了一個正妻三個妾室，都沒有子嗣，鄭姑娘嫁過來，如果生個白胖兒子，日後肯定可以享清福。」雷東明趕緊說，「我們是請你們來找人的，能不能快點幫忙？」

紫珊捏捏宗元的手，讓他先不要追問這些，然後轉頭問雷東明：「那頂花轎在哪？我想去看一下。」

「二叔，我帶他們去後院。」雷東明說。雷進山只是揮揮手讓他們去。

他們來到一個空曠的院子，這裡停了幾頂轎子，其中一頂明顯是喜轎，四邊有垂下的紅帳，轎頂有各色的流蘇，看起來喜氣洋洋的。

「鄭馨的陪嫁丫鬟還在你們家嗎？我想找她問話。」儀萱說。

「好，我去叫她來。」雷東明說完正要轉身走開，卻被亞靖叫住。

「聽說鄭馨有個多寶格，我們可以看一下嗎？」亞靖說。

雷東明愣了一下，不過臉色馬上恢復正常，「什麼？我不知道這件事。陪嫁的清單上沒有這東西。」

宗元還想說些什麼，紫珊又拉他一下，「沒事，那麻煩你請鄭馨的丫鬟過來。」

他們看著雷東明走後，忍不住低聲抱怨。

「居然睜眼說瞎話。」宗元低聲嚷著。

「我看他就是想私吞那個多寶格。」儀萱撇撇嘴說。

「這雷家叔姪都不是什麼好人。」曄廷說。

「對啊，那個二叔根本就是一個吸毒犯，我們真的要幫他們找鄭馨，讓她嫁到這裡受苦？」宗元忿忿的說。

「找人也不是那麼容易，目前沒有頭緒，而且，」紫珊頓了一下又說：「就算我們成功找到鄭馨，也不代表要把她送回來這裡啊。」

其他四人都點頭同意。

五人先繞著轎子走一圈，然後輪流鑽進轎內。

「外面看不出有什麼被破壞的痕跡。」亞靖說。

「裡面也是。」儀萱說。

「我也沒有感應到什麼特別不一樣的法力。」宗元的口氣透露微微的失望。

這時，雷東明帶著一個少女過來。

「這是婉兒，鄭馨陪嫁的丫鬟。」雷東明說。

婉兒長得瘦瘦高高的，滿臉雀斑，她看到他們便恭敬的一揖。

「婉兒，我們是來幫忙尋找小姐的，」紫珊親切的說，「我們可以問你一些問題嗎？」

婉兒點點頭，神色有些惶恐。

「是你陪著小姐從鄭家嫁過來的對嗎？」紫珊問。

婉兒又點點頭。

「小姐有你陪伴，她一定比較安心。」紫珊說。

婉兒聽了這話，眼眶一紅，「可是小姐不見了，我沒有照顧好小姐……」

「你要不要說說，昨天發生什麼事？」儀萱問。

婉兒回憶，「昨天一早，小姐讓我跟小依幫她上妝，換上嫁衣，跟老爺夫人拜別後，我扶她上了花轎，一路來到雷家，但等我掀開轎簾時，裡面卻是空的。我嚇傻了，小姐不是剛剛還在嗎？怎麼轉眼就不見了？轎夫也湊過來看，每個人都糊塗了。」

雷東明也補充，「有人通報新娘子的喜轎到了，我出了門卻看到每個人一臉慌亂，一問才知道新娘子不見了。」

「你們中間有停下來休息嗎？」儀萱問。

「休息?沒有沒有，小姐上了喜轎後，迎親隊伍一直到抵達雷家才停下來。」婉兒肯定的說。

「你確定小姐一直在轎子裡？」宗元問。

「是啊，一路上小姐都跟我在講話呢。」婉兒說。

「她都跟你說些什麼？」宗元問。

婉兒歪著頭想了一下，「她會問些像是，『現在走到哪了』『剛剛是不是經過戲臺了』『虹橋過了沒』之類的，我就會一一告訴她。我問她累不累，她也會跟我說不累。到了雷家大門前，我跟小姐說『我們到了』，她還應聲『好』，可是我打開轎簾，裡面卻沒有人。我跟轎夫四處找，也沒看到小姐的蹤影。」

這真是太奇怪了！整件事無法用常理來解釋。這就像是某種法術，或是幻術，可是他們剛才在轎子裡並沒有感應到什麼奇怪的力量。

「聽說小姐有一個多寶格，她也帶進轎子裡了嗎？」亞靖問。

其他人都注意到，婉兒快速瞄了雷東明一眼，神情帶著畏懼。雷東明發現大家的眼光在他身上，清清喉嚨說：「你說啊，那個什麼多寶格在哪？」

「在……我不知道，應該跟著小姐不見了。」婉兒畏畏縮縮的說。

「好，知道了。」紫珊說。婉兒明顯是被雷東明威脅，所以沒說實話，大家沒有戳破。

「拜託你們了，請幫我找小姐回來。」婉兒哀求著說。

「我們會盡力的。」儀萱說。

「你們打算怎麼找人？」雷東明問。

「現在天色晚了，明天再到附近四處問問。」曄廷說。

「如果你忽然想起什麼訊息，像是多寶格在哪，也再麻煩雷少爺告訴我們。」宗元語帶雙關的說。

雷東明的白臉一紅，假裝沒聽見，「你們還是住在吳家古董那嗎？」

「我們會住在成衣店。」儀萱說。

雷東明點點頭，「好，那我先送你們出去。」

4

這晚，五人齊聚在成衣店後面的柴房裡。小依把柴房整理出一塊乾淨的地方，鋪上一大塊軟墊，坐在上面像是坐在榻榻米上那樣，旁邊點著一盞小油燈，五人小聲的講著話。

「雷家這兩個叔姪實在不是什麼好東西。」宗元抱怨著，「一個是色鬼大毒蟲，一個是私吞人家小姐的多寶格，沒品！」

「我也覺得。就算我們找到人，也不要讓她去雷家。」曄廷說。

「說實話，這件失蹤案真的很詭異。」儀萱說。

「你們覺得婉兒說的是真的？」亞靖問。

「前半段是真的，後面關於多寶格那裡應該是被雷東明威脅的。」儀萱說。

「我也是這樣想。」紫珊同意。

「不知道為什麼，我覺得那個多寶格是個關鍵。」宗元說。

五個人有了法力後，不僅知覺變得比較敏銳，很多感應也無法用平常人的角度解釋，所以宗元這麼說，其他人不會覺得他只是隨便講講而已。

「或者可以說服雷東明拿出來給我們看看。」儀萱說。

「不，今晚我想潛進雷家，把多寶格拿出來。」宗元說，眼睛閃著光芒。

「你要去偷多寶格？」儀萱看著他，語氣倒是沒有評價。

「這東西又不是他的，鄭馨沒有正式嫁進雷家，這個多寶格還是鄭馨的才對。」宗元正色說。

「好，我們一起去。」儀萱輕拍一下手說。

「又不是去逛街，人越多越好玩。」宗元白她一眼，「哪有人偷東西還帶團的。」

「那我陪你去，有人照應比較好。」曄廷說，「我可以幫你把風，就算出事我也可以快速帶你離開畫境再回來。」

「我有手中鏡，晚上視線太暗不好找，我可以幫你。」亞靖也說。

「不用啦。」宗元揮揮手，「我一個人沒問題。至於天色太暗，我唸『床前明月光』或是『明月來相照』就可以解決了。」

「也好，宗元自有他的力量，我們不用操心。」紫珊拍拍他的肩膀。

「如果你們擔心的話，」宗元四周看看，找到一小塊木條，然後又拿來一大塊木柴，用小木條在大木柴上面刻劃幾筆，「我在這塊木柴上面寫了『柳』字，也施了法力，如果我出了什麼意外，這個『柳』字就會顯現出來，那時你們再來找我就好。」

「好。」紫珊小心的把這塊木柴跟其他塊分開擺放。

「不會有事啦，你可是我們的大詩人耶。」儀萱搥了一下宗元的肩膀。

宗元打量一下外頭的天色，「天已經暗了，現在沒有月亮，我這時出發比較不會引人注意。」

「小心喔。」其他四人叮嚀。

宗元手比ＯＫ就起身前往雷家。

＊＊＊

宗元看似隨意的走在街上，融入熱鬧的人群，其實暗中觀察，謹慎的注意身邊情況。同時，他朝自己施法，心裡默唸蘇東坡的七言詩句：「不識廬山真面目」，這樣他就不用穿黑衣黑褲外加蒙面，別人即使看到他，也不會記得他的長相，之後回憶起來只是個朦朧不清的面孔。

宗元來到雷東明的宅子，月亮在雲層間鑽進鑽出，他算好腳步，在月亮被雲遮住的時候從巷子沒人的地方翻進牆內。他來過一次，大致上記得宅子內的格局位置。他估計，多寶格是雷東明的寶貝，不會被放在灶房、茅房、下人房等地方。若考慮到這東西是他強占來的，應該暫時也不會被放在前廳這類供他炫耀的地方。

宗元在大宅內悄聲移動，有人聲和燈火的房間他都小心避開，他估計，雷家父子喜歡收集古物，一定也會有像吳家古董那樣的庫房來存放各式各樣的寶貝。

他來到一個小院子，此時月亮從雲層後探出頭，灑了滿院子亮晃晃的銀光，宗元可以看到一座大約兩人高的假山傍著小水池，池水粼粼，池邊還種滿奇花異草。而院子的那頭連著一個房間，房門外站著兩名大漢，神情戒備像是在看守什麼東西。

一定要去探探那個房間。宗元看著院子裡的水池假山，想起李白的〈金鄉送韋八之西京〉的最後兩句，輕聲唸道：「望望不見君，連山起煙霧。」

只見院子的石地泛起一層白霧煙氣，令兩個大漢看不到院子的景象，只見煙霧瀰漫到他們的腳下、腰部、胸口，然後整個人都置身在濃霧中。

「搞什麼鬼！這麼濃的霧。」大漢一抱怨。

「怎麼什麼都看不到？」大漢二口氣帶著驚慌。

宗元微微一笑，他施的法力當然難不住自己，他在霧中依然能視物，輕鬆的走過院子，來到門前。房門如意料中的上了鎖，但是他微施法力就輕巧的打開，進入房間。

房裡沒燈，宗元唸著「床前明月光，疑似地上霜」，讓月光透過窗戶灑進來，地上泛著一層銀白。自從宗元獲得法力後，感官變得更加敏銳，這一點光芒已經足夠他在房裡找東西了。

房間裡擺放著一排排的架子，架子上都是各樣的寶物——玉器、青銅器、陶器、古畫，他可以想像紫珊、儀萱、亞靖、曄廷他們看到會有多興奮。

他來到靠牆的那一排架子前，眼光掃過一隻頭部褐色的黃玉鴨，一艘用橄欖雕刻的小舟，然後他又看到一個外形像河馬又像狗，脖子上鑲著一圈金色項圈的青銅神獸，而在這個銅器旁，他看到三個多寶格。一個是長方直立式的，一個是正方略扁型，一個是長方扁型。

宗元仔細看著三個多寶格的外貌。他記得小依說，鄭馨的多寶格上面有個玉璧蓋子，在正方的木盒上的確有一個大約直徑二十公分的淺綠色玉璧。

他小心翼翼的把盒子拿起來，馬上就知道是這個沒錯，一個細微的力量從盒子上傳來。

宗元呼吸運氣，把法力運到手上，送進盒子裡，他感到一股熟悉又陌生的力量在上面。那是之前接觸過的，祝由師余襄的力量。

怎麼又跟祝由術有關？宗元微微蹙眉。

房間外的煙霧還是一樣厚重，兩個大漢還在咒罵，宗元已經悄聲帶著多寶格離開。

5

「這像是祝由術的力量沒錯。」亞靖在觸碰過宗元帶回來的多寶格後說，「跟曾姬壺上燐師留下來的力量很接近，但不一樣。」

「是余襄的力量。」宗元說。

亞靖點點頭。另外三人也去感受一下在多寶格上殘留的力量。

「不知道這件事跟余襄有什麼關連？」曄廷問，他是最後一個拿到多寶格的，施法後把盒子放在五人中央。

「我們明天去找她，問問看她知道多少。」宗元說。其他人都點頭同意。

「說不定就是她把鄭馨帶走的。」儀萱說。

「還沒確定前先不要下定論，不過也不要排除任何可能。」紫珊說。

「我們把多寶格打開來看看好不好？阿貴說裡面很多小東西耶。」儀萱興奮的說。

「我覺得不要亂碰比較好。」曄廷抱持一貫的保守態度。

「你的意思是我會粗手粗腳的嗎？」儀萱有點不高興。

「我只是覺得這個東西很精緻，我們要小心一點。」曄廷語氣有點無奈。

「我有說我要弄壞它嗎？」儀萱的嗓門有點高。

「我沒說你會弄壞，我只是說要小心。」曄廷就事論事的樣子，讓儀萱更不高興。

紫珊扶著額頭，嘆了一口氣。

「可是你的態度明明就……」儀萱還沒說完就被宗元打斷。

「這樣好了，我拿到的多寶格，我決定。」宗元捧起多寶格，「儀萱想要把多寶格打開看看也是有道理的，阿貴說裡面有三十件珍玩，說不定這些東西帶著什麼祕密可以讓我們找到鄭馨。」

儀萱面對曄廷展開勝利的笑容。

「不過曄廷說要小心也是有道理，畢竟不是我們的東西。」宗元繼續說，「不然這樣，我用法力把小隔間打開，讓這些珍品出來跟大家見面？」

「好。」亞靖大力點頭。紫珊也看著宗元點頭微笑。

宗元受到鼓勵，深吸一口氣，把法力運到多寶格上。只見多寶格離開宗元的手，在空中飄浮起來。

多寶格四邊的小櫃打開，像是蛋糕被切成四分之一的扇形模樣。從上面看，本來四方的盒子看起來像風車一般，四方的盒子下面有個須彌座，此時也跟盒子本體分離開來。盒子上面的玉璧也騰空向上，露出裡面的小空間。

四個扇形的木櫃，還有底下的須彌座，裡面存放著各式各樣的小物件，玉馬、玉鹿、玉犬、玉象、小酒杯、小玉壺、小硯臺、瑪瑙盒、玉達摩、青銅壺、一張山水畫等，最讓他們嘖嘖稱奇的是一個藏在象牙圓盒裡的紅寶石小戒指。

「這看起來好像是西方設計的戒指耶。」紫珊說。

「真的！」儀萱說，同時快速看了全部的珍玩一眼。

「阿貴不是說有三十件珍玩嗎？這裡只有二十九件。」儀萱說。大家也忍不住去數，真的只有二十九件。

「他會不會說錯數字，他應該也是聽說的。」曄廷說。

「你們看，」儀萱指著玉璧打開後露出的空間，「小依說，這裡應該有藏一個藍色小瓷瓶，可是現在是空的。」

「所以真的少一件。」紫珊看了一下其他物件，的確沒有藍色的瓷瓶。

「這個瓶子是跟著主人不見的？」曄廷推測。其他人也認為很有可能。

宗元向多寶格裡面仔細看了看，咦了一聲。

「怎麼了？」紫珊問。

宗元再度施法，手向上輕揮，大家看到一些灰色細碎的片狀物從盒中央的空間上升。

「看起來像是……紙燃燒後剩下的灰燼？」儀萱說

「小時候我生病，我奶奶會去廟裡求符，然後燒掉放到杯子裡，加水叫我喝掉。這些灰燼就跟那些燒掉的符長得一樣。」宗元說。

「這就是為什麼我們在這盒子上感受到祝由術的力量，」紫珊點點頭，「有人拿走了瓷瓶，在這裡放了一張符，不知道什麼原因符被燒掉了。」

「可能咒語失效，符就燒掉了。」曄廷猜測。

大家你一言我一句，可是誰也沒辦法確定。

宗元讓大家看過所有物件後，收回法力，每件珍玩都安穩的回到盒子裡。

「現在這個盒子怎麼辦？」宗元問。

「送回去。」亞靖說。

「我也覺得送回去比較好。」紫珊說，「雷少爺聽我們提了幾次多寶格，也知道我們有不一樣的力量。如果明天他發現東西不見了，還有兩個看守的大漢說起昨晚奇怪的大霧，一定會認為是我們拿的，這樣會讓事情變得複雜。」

「好吧！我現在拿回去。」宗元乾脆的說。

「要不要陪你去？」紫珊問。

「不用啦，你顧好這兩個人，不要讓他們又拌嘴就好。」宗元指指儀萱跟曄廷，擺手離去。

＊＊＊

宗元打算故技重施，再用一次之前的法力。他來到院子旁，正打算唸「望望不見君，連山起煙霧」時，一個人影在院子另一端一晃。

有其他人來了！

宗元先按兵不動，感覺那人不是雷家人，不然不會躲著不出聲。

只見一個修長的人影躲在一根柱子後面，蒙面又身穿黑衣，不過身形看起來像是一名女子。她不知道宗元在這，只是專注的看著屋外兩名大漢。

女子從懷裡拿出一樣事物，她的手一揚，一道暗黃光芒射出。宗元仔細一看，一張黃色的符紙從女子手中無聲的飛到兩個大漢的頭上，兩名大漢卻什麼也沒感覺到。

只見符紙在空中快速旋轉，變成兩條黃色的蛇，這兩條蛇分別落在兩個大漢的背上，兩人還來不及反應，兩條蛇分別在他們的頸後咬一口，兩人馬上眼睛一閉，倒在地上。

女子從柱子後面閃現，快速來到房前，她試著推門，發現門是鎖著的，又從懷裡掏出一張符紙，上面寫著奇怪文字。她把符紙直接貼在門上，在一陣光芒後房門應聲而開。

女子進入屋內後並沒有把門關上，從宗元隱身的角度，可以看到女子在裡面尋找東西。這人雖然是用符，但是看她修長的身形跟動作，並不是他們認識的祝由師余襄。

女子手中拿著一張黃色的符紙，紙面發出微微的光芒，方便她在架子上來回尋找。這時，門外的兩個大漢忽然醒了，兩人搖搖擺擺的站起來，發現大門是開著的大吃一驚。

「有人闖進去了。」一個大漢喊道。

在房內的女子聽到聲音馬上奔了出來，她再度拿出一張符紙，在空中化成兩條蛇，她想用同樣的方法制伏大漢，只是這次兩條蛇還沒靠近大漢就消失了。看來她的咒術還不夠強。

女子的眼神顯露驚訝膽怯，她從兩人中間竄出，試圖脫身。

「抓賊！」大漢一喊著。女子動作靈巧，這時已經越過他。不過大漢二也算敏捷，他跨出一大步，右手一伸一抓，以擒拿術抓住女子的肩膀。女子大驚，往旁邊轉身，卸去對手的力量，但是這一耽擱，大漢一已經趕了上來，兩手朝著女子抓去。

宗元在一旁觀察，這兩個大漢其實不弱，之前著了道都是碰上法力和咒術的關係，若說起拳腳功夫，他們比起這個蒙面女子強多了。

女子驚險的閃過，但是她的右手已被牢牢的抓住，她往後一踢，抓住她的大漢輕易閃過，另一名大漢則是抓住她的另一隻手。

只是不知道怎麼的，兩名大漢眼前一花，好像一道煙花在眼前炸開又消失，等他們眼睛重新聚焦，才發現他們手裡抓著的是對方的肩膀。

「那個蒙面人咧？」大漢一嚷著，左右張望。

「見鬼了！快，快看看庫房裡什麼不見了。」大漢二喊著。兩人衝進了庫房。

宗元趁機抓著女子的臂膀，離開雷府，來到溪邊無人的地方。

此時月亮又躲進雲裡，朦朧的月光從雲層間散出，讓四下景色蒙上一片光暈，微微的月光在溪上閃爍，不過兩人都沒心情欣賞，警戒的看著對方。

「你是誰？」女子看著宗元，想看清他的長相。

「我叫柳宗元。」

「哼，我還李清照咧。」女子哼了一聲，不過下一秒她便注意到宗元手上拿的東西。

「你怎麼會有那個盒子？」女子問。

「你先告訴我你是誰？你去雷家找什麼東西？」宗元問。

「就跟你說我是李清照！」女子冷笑一聲，清澈的眼睛瞪著他，「我找的就是你手上的東西，原來被你先拿走了，難怪我找不到。」

「你為什麼要找這個多寶格？你跟鄭馨小姐是什麼關係？」宗元想問是不是她抓走了鄭馨，不過沒有證據前，他覺得不能隨便誣賴人。

「那你又為什麼要去雷家偷多寶格？」女子刻意把「偷」字講得清晰用力，「這東西又不是你的！」

「這個多寶格是鄭馨小姐的，我受託要找到鄭馨小姐的下落，想在多寶格裡找線索。」宗元說。

「所以你在幫雷家做事？」女子問，語氣馬上充滿敵意。

「不是，是小依請託的。」宗元說。

女子看了他一眼，「要怎樣你才願意給我手上的東西？」

「這既然是鄭馨的東西，如果你知道她的下落的話，麻煩告訴我，我可以把這盒子直接給她。」宗元說。

「鄭馨已經不在這個世界上了，這東西我就替她收下了。」蒙面女子話剛說完，手一揚，一張黃色的符紙便朝著宗元飛來。

宗元心裡一驚，沒想到鄭馨已經遇害了，難道就是這個女的殺了她，現在還覬覦她的多寶格？他後悔剛才在雷家出手救她，只是現在沒時間想這些，他感到這張符紙帶著一股力量直衝而來。

宗元知道這些符紙的厲害，每一張有不同的力量，他不敢輕忽，一手抱著多寶格，一手對著符紙施法。他唸起范浚的詩句：「西窗日腳籬篩動，時有飛蟲撲紙聲。」只見夜空中忽然出現好幾十隻小飛蟲對著黃紙飛去，宗元再度施法，讓這些飛蟲帶著法力，啃咬著黃紙。這時候他發現女子又射出另一道黃紙，朝著他手中的多寶格而來。

這女子會祝由術，也會使用符紙，但是手法似乎還不熟練深厚，宗元施法後，一部分的蟲子在空中阻擋了黃紙的攻勢，也對著另一張黃紙齧咬起來。

當宗元正全心對付眼前的蒙面女子時，第三張符紙無聲無息的來到他的面前。他大吃一驚，不知道這張新符紙是從哪裡出現的，但可以確定不是來自眼前的女子。

「師父。」蒙面女子一聲低呼，看來她似乎也很驚訝她的師父出現了。

此人並不現身，第三張符紙是圓的，力量明顯比前兩張大上許多，月亮再度從雲後出現，映照在符紙上顯現一種幽冥的黃光。

黃光圓符紙對著宗元額頭而來，他趕緊運氣施法，身子一矮躲了過去。但是符紙如影隨形，轉個方向又朝著宗元而去。

宗元感到一陣滯悶的氣息包圍全身，彷彿空氣中的溼氣忽然都凝結成水。此時蒙面女子原來發出的兩張黃色符紙已經消失了，但是她不放棄，在她師父的幫助下，她再度射出兩張符紙。

宗元正想著蒙面女子也太有自信，居然想直接跟他硬搶，準備要施法抵抗，卻發現黃光圓符紙的力量瞬間增大，身邊滯悶的氣息緊緊束縛住他的法力，讓他力不從心，無法施展。同時，手中的多寶格居然震動起來，掙脫了宗元的掌控。

黃光圓符紙的力量並沒有維持太久，大約三秒鐘，但這時間也足夠讓蒙面女子硬生生的把多寶格從他手中拔走。

宗元大吃一驚，他掙脫那個滯悶的力量後，快速對著多寶格抓去，但圓符紙又飛過來一擋，多寶格在空中晃動了一下，最後還是落在蒙面女子的手裡。

蒙面女子輕聲一笑，不再戀戰，她手一揮，幾百張細碎紙片像下雨一般落在她的身前，宗元趕上前時，蒙面女子已經不見蹤影。

（《仙靈傳奇之古物奇探：祝由師（上）》完）

少年天下 —— 091

仙靈傳奇之古物奇探：祝由師（上）

作　　者｜陳郁如

責任編輯｜李幼婷
封面圖像｜深度設計．陳青琳
封面設計｜陳珮甄
內頁版型｜林子晴
校對協力｜魏秋綢
行銷企劃｜葉怡伶、林思妤、翁郁涵

天下雜誌群創辦人｜殷允芃
董事長兼執行長｜何琦瑜
媒體暨產品事業群
總經理｜游玉雪
副總經理｜林彥傑
總編輯｜林欣靜
行銷總監｜林育菁
副總監｜李幼婷
版權主任｜何晨瑋、黃微真

出版者｜親子天下股份有限公司
地址｜台北市 104 建國北路一段 96 號 4 樓
電話｜（02）2509-2800 傳真｜（02）2509-2462
網址｜ www.parenting.com.tw
讀者服務專線｜（02）2662-0332 週一～週五：09:00~17:30
傳真｜（02）2662-6048　客服信箱｜ parenting@cw.com.tw
法律顧問｜台英國際商務法律事務所．羅明通律師
製版印刷｜中原造像股份有限公司
總經銷｜大和圖書有限公司　電話：（02）8990-2588

出版日期｜ 2024 年 4 月第一版第一次印行
定　　價｜ 380 元
書　　號｜ BKKNF084P
I S B N ｜ 978-626-305-694-7（平裝）

訂購服務 ——
親子天下 Shopping ｜ shopping.parenting.com.tw
海外．大量訂購｜ parenting@cw.com.tw
書香花園｜台北市建國北路二段 6 巷 11 號　電話（02）2506-1635
劃撥帳號｜ 50331356 親子天下股份有限公司

國家圖書館出版品預行編目資料

仙靈傳奇之古物奇探：祝由師/陳郁如文. -- 第一版. -- 臺北市：親子天下股份有限公司, 2024.04
232 面；14.8x21公分. -- (少年天下；91)
ISBN 978-626-305-694-7(上冊：平裝). --

863.59　　113000588

國立故宮博物院　授權出版